Michael Klein, Yvonne Tempelmann

SCHWEIZER KÜCHE
CUISINE SUISSE
SWISS COOKING

INHALT
SOMMAIRE
TABLE OF CONTENTS

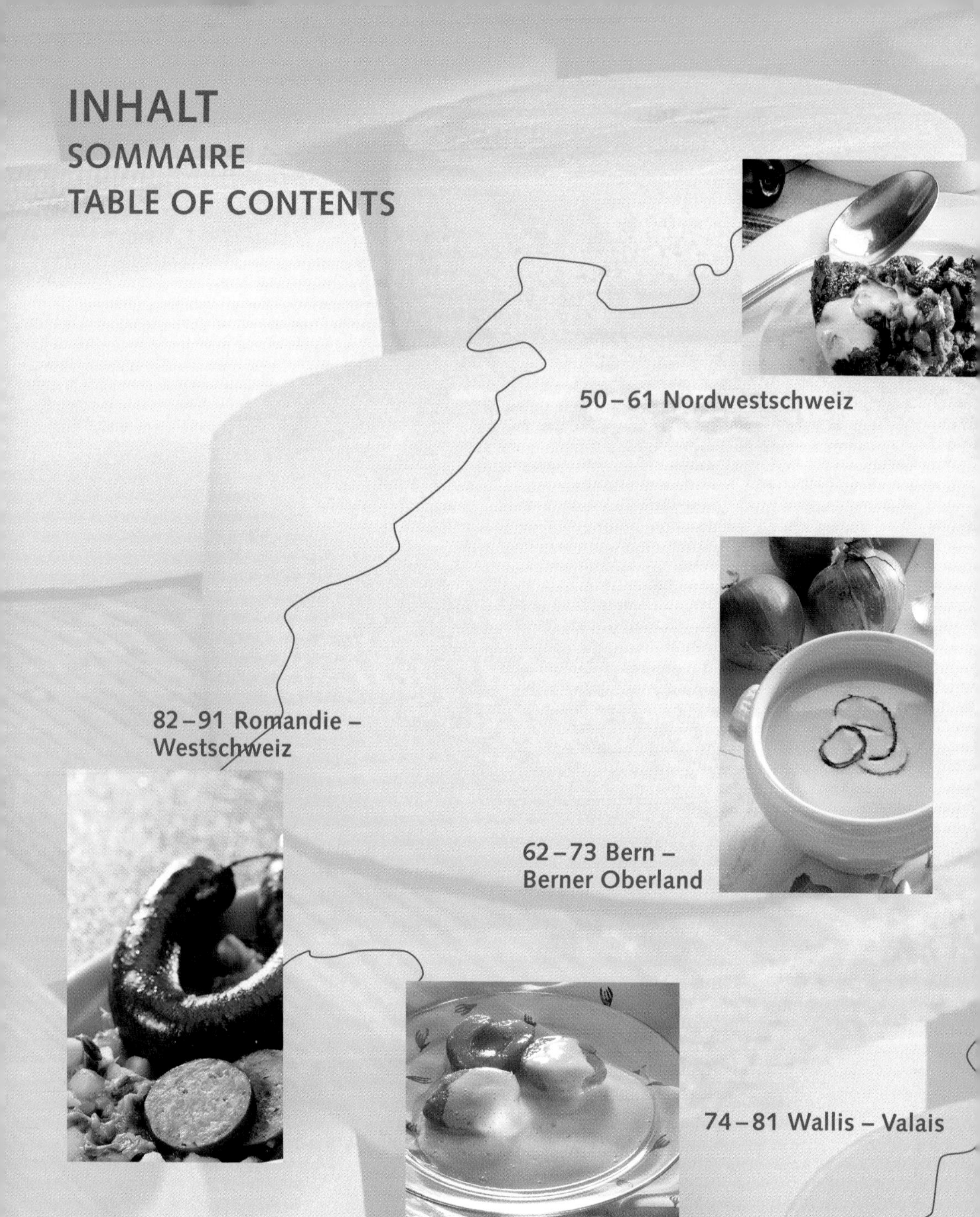

SCHWEIZER KÜCHE – CUISINE

«Schweizer Küche» – Sie kann eigentlich nur als Sammelbegriff gesehen werden. Zu vielfältig und zu verschieden sind die Regionen, als dass sich eine einheitliche Küchen-Kultur hätte heranbilden können. Doch gerade in dieser Vielfalt liegt der große Reiz und die Qualität dieser Landes-Küche.

Geprägt vom Bauernstand, der in allen Landesteilen die ursprüngliche Bevölkerung bildete, wurden die traditionellen bäuerlichen Kochrezepte über Jahrhunderte weitergegeben. Sie bilden die Basis einer Küchenkultur, die in ihrer faszinierenden regionalen Verschiedenheit bis heute weitgehend erhalten geblieben ist. Noch immer läßt sich an den verwendeten Nahrungsmitteln die bäuerliche Herkunft von Selbstversorgern ablesen. Allerdings haben die einst deftigen, dem ehemals höheren Energiebedarf entsprechenden Rezepte Veränderungen erfahren, damit sie der heutigen Lebensweise entsprechen. Sie sind leichter geworden,wurden geschmacklich verfeinert. Über alle Landesteile hinweg ist ihnen jedoch eines gemeinsam: Die Grundnahrungsmittel sind einfach geblieben. Sie sind in der jeweiligen Region, aber

«Cuisine suisse» – une expression sommaire tout au plus. Les diverses régions du pays sont trop différentes les unes des autres pour permettre une culture culinaire commune. Pourtant, c'est précisément cette diversité régionale qui fait le charme et la qualité de la cuisine suisse.

Marquées par la paysannerie représentant la majorité de la population dans toutes les régions, les recettes campagnardes traditionnelles se sont transmises de siècle en siècle. Elles forment la base d'une culture culinaire dont les étonnantes facettes régionales se sont maintenues jusqu'à nos jours. D'après les ingrédients de base utilisés, on peut encore toujours deviner l'origine paysanne et l'autosuffisance alimentaire. Pourtant, les recettes d'antan, riches en calories, ont subi quelques modifications pour être adaptées au mode de vie actuel. Les recettes sont plus légères et affinées en saveur. Pour toutes les régions du pays, un point commun leur est resté: les ingrédients de base sont simples, peuvent être obtenus, selon la saison, dans les régions respectives, mais aussi dans les magasins alimentaires à l'étranger. Souvent, la «cuisine suisse» n'est pas une «cuisine rapide».

«Swiss Cooking» This can only be regarded as a collective term because the variety between the regions is too great to enable the development of a standardised cooking culture. And yet it is precisely in its variety where the charm and the quality of this national cooking style lies.

The traditional rural cooking recipes, developed by the farmers who formed the initial population in all parts of the country, have been passed down over centuries. They constitute the basis of a cooking culture with all its fascinating regional differences, that has been maintained until now. Even today one can distinguish the rural origin of a self-sufficient population by the ingredients used. Although in order to meet today's lifestyle requirements, due to the former higher energy requirements, the once substantial recipes have been adapted. They have become lighter and more sophisticated in taste. Nationwide they all have one thing in common: the basic ingredients remain simple and are available without any difficulty in the current region as

auch andernorts in zahlreichen Lebensmittelgeschäften, der Saison entsprechend, erhältlich. Häufig ist «Schweizer Küche» keine «schnelle» Küche: Bis eine echte Tessiner Minestra im Kochtopf brodelt und ihren unwiderstehlichen Duft verströmt, wurde recht viel Gemüse geputzt, klein geschnitten, angedünstet und langsam aufgekocht. Die Minestra ist keine Ausnahme, sie bestätigt vielmehr die Regel. Die kostbaren Lebensmittel wurden mit viel Respekt und Sparsamkeit verwertet, häufig eine mögliche Restenverwertung von Anfang an bedacht, und Grundrezepte der Saison und dem jeweiligen Haushalt entsprechend individuell variiert. Gerade dies trifft den Kern der traditionellen «Schweizer Küche». Dass viele ursprüngliche Gerichte bis heute weiterbestehen, und zwar auf zeitgemäße, moderne Art, kommt nicht von ungefähr. Es ist zahlreichen Schweizer Spitzenköchen zu danken: Sie haben sie verfeinert, in ihr Repertoir übernommen und ihnen damit zeitlose Aktualität und Faszination verliehen. So können Speisen Heimat vermitteln, aber auch kulinarische Erinnerungen aus der Tiefe der Seele holen. Also denn: En Guete, guten Appetit, bon appétit, buon appetito, bun appetit allerseits!

Une importante quantité de légumes doit être lavée, préparée, coupée, étuvée, jusqu'au moment où une bonne Minestrone tessinoise mijote dans une grande marmite et distille son irrésistible odeur. La Minestrone n'est pas une exception. Elle confirme plutôt la règle générale. Les précieux aliments étaient utilisés avec respect et parcimonie et une réutilisation des restes était souvent planifiée d'avance. Les recettes de base étaient adaptées aux saisons et variaient selon le pouvoir d'achat du ménage. Ceci est un trait marquant de la «cuisine suisse». Ce n'est pas un hasard si des recettes suisses traditionnelles ont subsisté et qu'elles se présentent sous forme actualisée et moderne. De nombreux maîtres cuisiniers suisses de renom ont affiné la cuisine traditionnelle en l'incorporant dans leur répertoire. Ils ont ainsi renouvelé son actualité et son attraction. De cette manière, des aliments peuvent transmettre l'esprit de la patrie, mais aussi faire revivre des souvenirs culinaires de la profondeur de l'âme suisse. Alors: bon appétit, en Guete, guten Apetit, buon appetito, bun appetit!

well as in other good grocery stores during the appropriate season. Often «Swiss cooking» is not «fast» cooking: it will take a lot of vegetables to clean, cut into small pieces, lightly braise and then slowly bring to the boil, until a genuine Ticino Minestra is bubbling on the stove. The Minestra is no exception, it is more a confirmation of the rule. The precious foods were used economically and with respect, often taking into account the use of the leftovers, right from the beginning, as well as varying individually the basic recipes in accordance with the seasons and the needs of the households. It is that aspect that touches the core of traditional «Swiss cooking». The fact that many initial dishes have been kept, and that in an up-to-date and modern way, is not without good reasons. One has to thank numerous top Swiss chefs, who have refined them, taken them into their repertoire and have given them timeless topicality and fascination. That is how meals can give a feeling of being at home as well as bring up culinary memories from the depths of the soul. So: En Guete, guten Appetit, bon appétit, buon appetito, bun appetit everyone!

OSTSCHWEIZ Appenzell, Schaffhausen, St. Gallen, Thurgau, Zürich

1

2

1 Rheinfall, Neuhausen (Schaffhausen)

2 Gais (Appenzell)

3 Salenstein, Untersee (Thurgau)

4 Zürcher Sechseläuten

5 Grossmünster, Stadt Zürich

3

4

5

Schaffhausen mit dem Rheinfall, Apfelbaumkulturen und sanfte Bodensee-Ufer im Thurgau, St. Gallens berühmte Klosterbibliothek und die Stickereivergangenheit, und Zürich mit Business- und Bankenstadt, das alles ist die Ostschweiz.

So hat auch die Ostschweiz ganz verschiedene Facetten. Schaffhausens und Thurgaus Topografie ist eher sanft; ruhige Hügelzüge säumen zwar auch den Zürichsee, aber hier und über dem Mittelland hängt von Herbst bis Vorfrühling oft so zäher Hochnebel, dass man über die Nebeldecke entfliehen möchte. Am Bodensee ist das Klima milder und für Obstkulturen prädestiniert. Härter ist es dagegen in den Voralpen Appenzells und dem Säntisgebiet, dessen höchster Gipfel immerhin 2502 Meter hoch ist und für harte Winter steht. Diese Mannigfaltigkeit äußert sich auch in den überlieferten Rezepten. Und natürlich gibt es auch hier regionale Spitzenreiter. In Appenzell etwa die Hörnli mit Gehacktem (Teigwaren-Hörnchen mit Hackfleisch), in Schaffhausen eindeutig der Zwiebelkuchen, in St.Gallen die Bratwurst und die Fleischpasteten, im Thurgau die Bodensee-Fischsuppe und die Oepfelchüechli (Thurgauer Apfelküchlein), während zu den Zürcher Paradegerichten das Zürcher Geschnetzelte mit Rösti zählt.

Cette région, c'est Schaffhouse avec les chutes du Rhin, les vergers potagers et les berges du lac de Constance en Thurgovie, la célèbre bibliothèque du cloître de Saint-Gall et son passé de la broderie. Ainsi que Zurich, la ville des affaires et des banques.

La Suisse orientale présente donc également de nombreuses facettes. La topographie de Thurgovie et de Schaffhouse est plutôt ondulée. On retrouve bien des monts ondoyants le long du lac de Zurich aussi, mais cette région, comme tout le Mittelland, est caractérisée par des brouillards de l'automne jusqu'au printemps. Un brouillard si épais que l'on aimerait s'enfuir vers les sommets. Autour du lac de Constance, le climat est plus doux et la région plus propice à la culture des fruits. Il en va tout autrement pour la région montagneuse d'Appenzell et celle du Säntis, culminant à 2502 mètres. Elles sont connues pour de rudes hivers. Cette diversité se reflète aussi dans les recettes traditionnelles. En Appenzell, ce sont les macaronis au hachis de viande, à Schaffhouse les tartes aux oignons, à Saint-Gall les «Bratwürste» (longue saucisse à griller) et les pâtés, en Thurgovie la soupe aux poissons, ainsi que les beignets au pommes. Alors que Zurich est connu pour son «Züri-gschnätzlets mit Röschti», de l'émincé de veau avec un rœsti.

Schaffhausen with the Rheinfall, apple tree cultures and the soft Bodensee (Lake Constance) banks in Turgau, St. Gallen's famous monastery library and its embroidery past and Zürich the business and banking city – all that is Eastern Switzerland.

This is why Eastern Switzerland also has many different facets. The topography of Schaffhausen and Turgau is more on the soft side: although smooth hills also line the lake of Zürich, high fog that lingers over the area, and over the Mittelland from autumn until early spring, makes you want to escape high above the fog cover. At the Bodensee the climate is milder and predestined for fruit cultivation, it is harder again in the pre-alps of Appenzell and the Säntis area which stand for hard winters and where the highest peaks reach a height of at least 2502 meters. This diversity manifests itself also in the recipes handed down and of course here again one finds regional hits. In Appenzell the «Hörnli mit Gehacktem» (horn-shaped pasta with minced meat), in Schaffhausen incontestably the Zwiebelkuchen (Onion cake), in St. Gallen, the St. Galler Bratwurst and the Fleischpasteten (Meat pie), in Thurgau, the Fischsuppe (Fisch soup) and the Oepfelchüechli (Apple Cakes from Thurgau), whereas in Zürich the Züri-gschnätzlets (minced veal) with Rösti belong to the classics.

BODENSEE-FISCHSUPPE
SOUPE AUX POISSONS
FISH SOUP FROM BODENSEE

800 g Süßwasser-Fischfilets, z. B. Felchen, Zander, Forelle
2 EL natives Olivenöl extra
1 mittelgroße Zwiebel, gehackt
1 Knoblauchzehe, fein gehackt
1 Lauch, in breiten Streifen
2 Karotten, grob gewürfelt
1 Fenchel, in Scheiben
1 kleine Dose Pelati, gehackt
1,5 l Gemüsebrühe
je 1 Prise Kreuzkümmel, Paprika, Kardamom
1 Lorbeerblatt, 2 Nelken
6 zerdrückte schwarze Pfefferkörner
1 Bund Petersilie, gehackt
Kräutersalz, Pfeffer

1. Die Fischfilets in breite Streifen oder Würfel schneiden.

2. Die Zwiebeln mit dem Knoblauch im Öl andünsten, Gemüse – ohne Pelati – einige Minuten mitdünsten. Pelati und Tomatensaft, Gemüsebrühe, Lorbeerblatt, Nelken, Pfeffer und Petersilie zufügen, erhitzen, rund 30 Minuten bei schwacher Hitze köcheln. Die Fischstücke zufügen, kurz köcheln lassen, Lorbeerblatt sowie Nelken entfernen. Die Fischsuppe würzen.

800 g de filets de poissons d'eau douce, p. ex. féra, sandre, truite
2 cs d'huile d'olive vierge extra
1 oignon moyen haché fin
1 gousse d'ail hachée fin
1 poireau en larges rondelles
2 carottes en cubes grossiers
1 fenouil en tranches
1 petite boîte de tomates pelées, coupées en dés
1,5 l de fumet de poisson
cumin français, paprika, cardamome, 1 pc de chaque
1 feuille de laurier
2 clous de girofle
6 grains de poivre noir
1 bouquet de persil haché
sel marin aromatisé, poivre du moulin

1. Débiter les filets de poisson en larges bandes ou en morceaux.

2. Faire revenir oignon et ail dans l'huile d'olive. Ajouter les légumes sans les tomates et faire revenir encore durant quelques minutes. Ajouter tous les autres ingrédients, sauf le poisson. Laisser mijoter durant 30 minutes. Ajouter le poisson et laisser mijoter un peu. Retirer les feuilles de laurier et les clous de girofle. Assaisonner.

800 g fresh water fish fillets, e.g. Whitefish, Pike-perch, Trout
2 tbsp extra virgin olive oil
1 medium size onion, chopped
1 clove of garlic, finely chopped
1 leek, thickly sliced
2 carrots, coarsely chopped
1 fennel, sliced
1 can (425 g) of chopped tomatoes
1,5 l vegetable stock
1 pinch of cumin, paprika, cardamon
1 bay leaf, 2 cloves
6 crushed black peppercorns
1 bunch of parsley, chopped
herbal salt, pepper

1. Cut fish fillets into wide stripes or cubes.

2. Lightly braise onions and garlic in olive oil, add vegetables, without tomatoes, braise for few minutes. Add tomatoes with juice, vegetable stock, bay leaf, cloves, pepper and parsley, heat up, simmer on low heat for 30 minutes. Add fish pieces, simmer for a short time, remove bay leaf and cloves. Season and serve.

ZÜRCHER GESCHNETZELTES
EMINCÉ DE VEAU, SAUCE AU VIN BLANC ET CHAMPIGNONS
VEAL STRIPS FROM ZÜRICH

2 EL natives Olivenöl extra
500 g Kalbfleisch zum Schnellbraten
Salz, Pfeffer, wenig Mehl
1 EL Butter
1 kleine Zwiebel, fein gehackt
200 g Champignons, in Scheiben
1 TL Zitronensaft
100 ml Weißwein
100 ml Fleischbrühe
1 Becher (180 g) Rahm/Sahne
1 EL Maisstärke
1 Bund Petersilie, fein gehackt

1. Das Kalbfleisch von Hand in nicht zu feine Streifen schneiden, in der Bratbutter rundum kräftig anbraten, würzen, wenig Mehl darüber stäuben, vermengen, warm stellen. Überschüssiges Fett abgießen.

2. Für die Rahmsauce Zwiebeln und Champignons in der Fleischpfanne andünsten, Zitronensaft und Weißwein zufügen, auf etwa die Hälfte einköcheln lassen. Fleischbrühe, mit Rahm und Maizena glatt rühren, zu den Pilzen geben, kurz köcheln lassen. Das Fleisch zufügen, mit Salz und Pfeffer würzen. Fein gehackte Petersilie darüber streuen.

Kartoffelrösti Siehe Seite 67

2 cs huile d'olive vierge extra pour frire
500 g de viande de veau, p. ex. cuisseau
sel, poivre noir du moulin, un peu de farine
1 cs d'huile
1 petit oignon, haché fin
200 g de champignons coupés en tranches
1 cc de jus de citron
1 dl de vin blanc
1 dl de bouillon de légumes
180 g de crème
1 cs d'amidon de maïs
1 bouquet de persil haché fin

1. Emincer la viande et la saisir à feu vif dans l'huile d'olive. Saler, poivrer et saupoudrer d'un peu de farine. Remuer et garder au chaud.

2. Pour la sauce, faire revenir les oignons et les champignons dans la poêle, ajouter le jus de citron et le vin blanc et faire réduire de moitié à petit feu. Bien remuer ensemble le bouillon, la crème et l'amidon de maïs, l'ajouter aux champignons et faire mijoter environ 3 minutes. Ajouter la viande, rectifier l'assaisonnement, parsemer de persil.

Rœstis Voir page 67

2 tbsp extra virgin olive oil
500 g veal, quick-fry
salt, pepper, little flour
1 tbsp extra virgin olive oil
1 small onion, finely chopped
200 g mushrooms, sliced
1 tsp lemon juice
100 ml white wine
100 ml beef stock
180 g cream
1 tbsp starch (cornflour)
1 bunch parsley, finely chopped

1. Cut meat into not to fine strips, fry well in olive oil, season, sprinkle with flour, mix and set aside keeping warm. Drain off excess oil.

2. For the sauce, braise lightly onions and mushrooms in the meat pan, add lemon juice and white wine, simmer until half thickened. Mix beef stock, cream and starch to a smooth paste, add to mushrooms, simmer shortly. Add meat, season with salt and pepper. Sprinkle with parsley.

Roesti See page 67

APPENZELLER KÄSKÜCHLEIN
QUENELLES AU FROMAGE
CHEESE CAKES FROM APPENZELL

150 g geriebener
Appenzeller Käse
200 ml Milch
250 g Weißmehl
1 TL Backpulver
200 ml helles Bier
4 Eier, getrennt
wenig Salz

Öl zum Frittieren

1. Die Milch erhitzen, den Käse zufügen, unter Rühren schmelzen, dann gut erkalten lassen. Mehl und Backpulver mischen, unter die Käsemasse rühren, helles Bier ebenfalls unterrühren. Eigelbe, eines nach dem andern, unter den Teig arbeiten. Eiweiß und Salz zu Schnee schlagen, sorgfältig unterziehen.

2. Das Frittieröl auf 180 °C erhitzen. Käsemasse in einen Spritzsack füllen, nussgroße Portionen in das heiße Frittieröl drücken, die Küchlein goldgelb backen, gut abtropfen lassen, heiß servieren. Wichtig: Küchlein keinesfalls dunkel frittieren, sonst schmecken sie bitter.

Tipp Mit weißem Kabissalat servieren.

150 g de fromage
d'Appenzell râpé
2 dl de lait
250 g de farine blanche
1 cc de poudre à lever/
levure chimique
2 dl de bière blonde
4 œufs, jaunes et blancs séparés
1 pc de sel

huile pour frire

1. Faire chauffer le lait, ajouter le fromage d'Appenzell et le faire fondre en remuant constamment. Laisser refroidir. Mélanger la farine et la levure chimique et l'ajouter à la masse de fromage, ainsi que la bière. Incorporer un à un les jaunes d'œufs à la masse. Battre les blancs en neige avec un peu de sel et les incorporer à la masse.

2. Faire chauffer l'huile à frire à environ 180 °C. Transvaser la masse dans un sac à douille. Presser des portions directement dans l'huile chaude et les frire, bien dorées. Alors déposer les croquettes sur du papier de ménage et les servir chaudes. Ne pas les cuire trop longtemps, pour éviter qu'elles deviennent amères.

Conseil Servir avec une salade de choux.

150 g grated Appenzeller
cheese
200 ml milk
250 g white flour
1 tsp baking powder
200 ml light beer
4 eggs, separated
pinch of salt

oil to fry

1. Heat the milk and add cheese, melt stirring constantly, cool down. Mix white flour and baking powder, stir into cheese mixture, add beer. Mix one egg yolk after the other into the mixture. Beat egg white with salt until stiff, fold into mixture.

2. Heat oil to 180 °C. Fill cheese mixture into piping bag and press nut-sized portions into hot oil, fry until golden brown, drain off well, serve whilst hot. Do not allow cakes to become dark, otherwise they will taste bitter.

Tip Serve with Coleslaw.

THURGAUER APFELKÜCHLEIN
BEIGNETS AUX POMMES
APPLE CAKES FROM THURGAU

4 große säuerliche Äpfel,
z. B. Boskoop

Ausbackteig
150 g Weißmehl
1 Prise Salz, 2 EL Zucker
250 ml helles Bier oder
Apfelsaft oder Milch
2 Eier
abgeriebene Zitronenschale
1 EL flüssige Butter

Öl zum Ausbacken
Zimtzucker

1. Alle Zutaten für den Teig glatt rühren, 30 Minuten quellen lassen.

2. Kerngehäuse der Äpfel ausstechen, die Früchte in ewa 1 cm dicke Scheiben schneiden.

3. Öl in Fritteuse oder Brattopf erhitzen. Apfelringe in den Ausbackteig tauchen, im Öl schwimmend backen. Vor dem Servieren mit Zimtzucker bestreuen.

Variante Etwa 6 Kirschen mit Stiel zusammen in den Teig tauchen und ausbacken. Auch Holunderblütendolden eignen sich zum Ausbacken.

4 grandes pommes acidulées,
p. ex boskoop

pâte à la bière
150 g de farine d'épeautre
1 pc de sel, 2 cs de sucre
2,5 dl de bière blonde ou
de jus de pommes ou de lait
2 œufs
zeste de citron râpé
1 cs de beurre liquide

huile pour frire
sucre à la cannelle

1. Mélanger les ingrédients pour la pâte jusqu'à obtention d'une masse homogène. Laisser reposer 30 minutes.

2. Evider les pommes et les débiter en rondelles de environ 1 cm d'épaisseur.

3. Faire chauffer l'huile dans la friteuse ou dans une grande poêle. Tremper les ronds de pommes dans la pâte et les faire frire dans l'huile. Saupoudrer de sucre à la cannelle avant de les servir.

Variante Tremper 6 cerises ensemble dans la pâte, avec le pédoncule, et les faire frire. On peut aussi y tremper des ombelles de fleurs de sureau.

4 large acidy apples, e.g.
Boskoop

Batter coating
150 g white spelt flour
1 pinch of salt, 2 tbsp sugar
250 ml light beer or apple juice
or milk
2 eggs
lemon peel
1 tbsp melted butter

Oil for deep-frying
Cinnamon sugar

1. Mix in all ingredients for batter until smooth, leave to rise for 30 minutes.

2. Cut out apple cores, cut apples into 1 cm thick slices.

3. Heat oil in deep-fryer or frying pan. Dip apple slices in batter, then fry in swimming oil.

4. Sprinkle with cinnamon sugar before serving.

Variation Dip about 6 cherries with stalk in batter and fry. Elderberrie umbels are suitable for deep-frying.

GRISCHUN – GRAUBÜNDEN

1

2

3

5

1 Val Lumnezia, Vrin

2 Silsersee, Piz de la Margna

3 Landwasser-viadukt, Filisur

4 Flachrennen «White Turf», St. Moritz

5 Rheinschlucht bei Versam

4

Das kulinarische Profil des «Landes der 150 Täler» wird durch die Verschiedenheit der einzelnen Regionen geprägt. Prominenteste: das berühmte Hochtal Engadin mit den firnbedeckten Gipfeln mit dem ewigen Schnee und den kristallklaren Seen.

Zwischen den grünen Wiesen und den sonnigen Rebbergen des Bündner Rheintals, den schmalen Tälern im Herzen des Kantons und dem weiten Hochtal Engadin liegen Welten – allein aus topografischer Sicht. Von der bäuerlichen Selbstversorgung geprägt, finden sich jedoch viele Gemeinsamkeiten. Im Oberhalbstein werden die höchst gelegenen Getreide- und Kartoffeläcker der Schweiz bestellt – die Produkte kommen unter dem Namen Gran Alpin auf den Markt – als Selbsthilfe der Bergbauern. Die Bündner Gerstensuppe gehört im Winter überall auf die Speisekarte, und die Bündner Nusstorte ist während des ganzen Jahres aktuell. Maluns, ein Kartoffelgericht, gehört ebenso wie die Capuns oder die Pizokel zum saisonalen Repertoir. Forellen bevölkern die Bergbäche und kommen fangfrisch und von delikatem Geschmack auf die Teller. Im Herbst verspricht die Jagd Genüsse besonderer Güte.

Le profil culinaire du «canton aux 150 vallées» est caractérisé par la diversité des régions dont l'Engadine. Qui, avec ses cimes recouvertes de neige toute l'année et ses lacs de montagne à l'eau cristalline, est certainement la plus connue.

Les vertes prairies et les coteaux de vignes de la vallée du Rhin, les étroits vallons au cœur du canton et la vaste vallée haute de l'Engadine sont des mondes très différents, du point de vue topographique également. Marqués par l'autosuffisance agraire, on constate tout de même de nombreuses similitudes. Dans la région de l'Oberhalbstein, on pratique la culture des pommes de terre et des céréales les plus élevées de Suisse. Les agriculteurs de montagne les commercialisent eux-mêmes sous le label «Gran Alpin». En hiver, le potage à l'orge des Grisons fait partie des menus des bonnes tables et la tourte aux noix des Grisons trouve des amateurs toute l'année. Selon les saisons, le plat aux pommes de terre «Maluns», les rouleaux de bettes ou les «Pizzoccheri» font également partie du répertoire. Des truites de montagne de goût très fin et pêchées dans de clairs ruisseaux, font partie de l'offre régionale. Tout comme les produits de la chasse de haute montagne qui nous offre des plaisirs culinaires superbes.

The culinary profile of the «Land of the 150 valleys» is very much marked by the differences in its regions. The most prominent is the famous Hochtal Engadin with its névé covered peaks, perpetual snow and crystal clear lakes.

The green meadows and the sunny vineyards of the Grisons Rhine valley, the narrow valleys in the heart of the canton and the wide Hochtal Engadin, lie «worlds apart» from a topographical point of view. However, under the influence of rural self-sufficiency, many common aspects can be found. In the Oberhalbstein lie the highest cultivated corn and potato fields in Switzerland, these products are sold on the market under the name Gran Alpin as self-help for the mountain farmers. The Bündner Gerstensuppe (Grisons Barley Soup) is a must on all winter menus and the Bündner Nusstorte (Grisons Nut Pie) is topical all year around. Maluns, a potato dish, belongs as well as Capuns or Pizokel to the seasonal repertoire. The rainbow coloured trouts that populate the mountain streams are served exquisitely tasteful and fresh. Autumn is the season for venison, when hunting enables to combine culinary delights of exceptional quality with careful game protection.

BÜNDNER GERSTENSUPPE
POTAGE À L'ORGE
BARLEY SOUP FROM GRISONS

Hauptmahlzeit

60 g weiße Bohnen,
12–18 Stunden in kaltem
Wasser eingeweicht
80 g Rollgerste
100 g geräuchertes Rippchen
(Schweinefleisch), ohne Knochen
50 g Bündner Fleisch,
klein gewürfelt
1 Lorbeerblatt
1 Thymianzweig
300 g Gemüewürfelchen/-
streifchen (Karotten, Knollensellerie, Lauch, Zwiebeln)
150 g mehlig kochende
Kartoffeln
Salz, Pfeffer
gehackte frische Kräuter

Die weißen Bohnenkerne mit reichlich frischem Wasser aufkochen, den Schaum häufig abschöpfen. Rollgerste, Rippchen, Bündner Fleisch, Lorbeerblatt und Thymian beigeben, bei schwacher Hitze zugedeckt 60 bis 90 Minuten köcheln. Das Gemüse zufügen, nochmals 20 Minuten köcheln lassen. Lorbeerblatt sowie Thymian entfernen. Gerstensuppe mit Salz und Pfeffer würzen. Die Kräuter darüber streuen.

plat principal

60 g de haricots blancs trempés
12–18 heures dans de l'eau
froide
80 g d'orge perlé
100 g de porc fumé (côte),
sans os
50 g de viande séchée,
en petits cubes
1 feuille de laurier
1 branche de thym
300 g de légumes en brunoise
(carottes, céleri, poireaux,
oignons)
150 g de pommes de terre
à chair farineuse
sel, poivre noir du moulin
fines herbes fraîches, hachées

Faire cuire les haricots blancs dans une grande quantité d'eau fraîche. Ecumer de temps en temps. Ajouter l'orge perlé, le porc, la viande séchée, le laurier et le thym. Faire mijoter 60 à 90 minutes. Ajouter les légumes et faire mijoter encore 20 minutes. Retirer le laurier et le thym, saler et poivrer. Saupoudrer de fines herbes avant de servir.

Main meal

60 g white beans, soak for
12–18 hours
80 g barley
100 g smoked pork ribs
(Rippchen), without bones
50 g Bündner Fleisch (smoked
meat from Graubünden),
small cubes
1 bay leaf
1 twig of thyme
300 g vegetable cubes/slices
(carrots, celery, leek, onions)
150 g soft cooking potatoes
salt, pepper
fresh chopped herbs

Bring white beans to the boil in plenty of fresh water, occasionally skim off foam. Add barley, smoked meat, Bündner Fleisch, bay leaf and thyme, simmer on low heat for 60 to 90 minutes. Add vegetable, simmer for another 20 minutes. Remove bay leaf and thyme. Season soup with salt as well as pepper. Sprinkle with herbs.

CAPUNS

40 Schnittmangoldblätter
300 g Weißmehl
3 Eier, 150 ml Milch
1 TL Salz, 40 g Butter
1 kleine Zwiebel, fein gehackt
150 g Speckwürfelchen
100 g Weißbrotwürfelchen
5 EL gehackte Kräuter
50 g Korinthen

100 g geriebener Sbrinz
50 g Butter

1. Mangoldblätter in reichlich kochendem Wasser überwallen, abgießen, unter kaltem Wasser abschrecken.

2. Mehl, Eier, Milch und Salz klopfen, bis der Teig Blasen wirft, mit Salz würzen. Etwa 30 Minuten stehen lassen.

3. Zwiebel, Speck und Brot in der Butter andünsten, mit 3 Esslöffeln Kräutern und Korinthen unter den Teig rühren.

4. Auf jedes Mangoldblatt 1 EL Füllung geben, Schmalseiten darüber legen, von der anderen Seite einrollen, mit Faden binden.

5. In einem großen Topf reichlich Salzwasser erhitzen. Capuns zufügen, bei schwacher Hitze 20 Minuten garziehen lassen. Mit einem Schaumlöffel herausnehmen, in eine vorgewärmte Schüssel legen, mit Sbrinz und restlichen Kräutern bestreuen. Butter bräunen und darüber träufeln.

40 feuilles de bettes
300 g de farine blanche
3 œufs, 1,5 dl de lait
1 cc de sel, 4o g beurre
1 petit oignon haché fin
150 g de lardons
100 g de dés de pain blanc
5 cs de fines herbes hachées
50 g de raisins de Corinthe

100 g de sbrinz râpé
50 g de beurre

1. Blanchir les feuilles de bettes dans une grande quantité d'eau bouillante, jeter l'eau et passer les légumes sous l'eau froide.

2. Battre à la cuiller en bois la farine, les œufs, le lait et le sel, jusqu'à ce que la pâte forme des bulles. Laisser reposer environ 30 minutes.

3. Faire revenir les oignons, les lardons et le pain blanc dans le beurre. Ajouter à la pâte en même temps que les raisins et 3 cs de fines herbes.

4. Déposer 1 cs de farce sur chaque feuille de bette, replier les côtés sur la farce et enrouler.

5. Porter une grande quantité d'eau salée à ébullition, y ajouter les capuns et faire mijoter durant 20 minutes. Les retirer à l'aide d'une écumoire et les déposer dans un plat chauffé. Parsemer de sbrinz et du reste des fines herbes. Faire fondre le beurre et en napper les rouleaux.

40 Silverbeet leaves
300 g white flour
3 eggs, 150 ml milk
1 tsp salt, 40 g butter
1 small onion, finely chopped
150 g bacon, cubed
100 g white bread, cubed
5 tbsp chopped mixed herbs
50 g currants

100 g Sbrinz, grated
50 g butter

1. Cook Silverbeet leaves in plenty of boiling water, strain and rinse with cold water.

2. Beat flour, eggs, milk and salt until dough bubbles, season with salt. Leave to stand for 30 minutes.

3. Lightly braise onions, bacon and bread in butter, stir into dough mixture with herbs and currants.

4. Put 1 tbsp of filling on each Silverbeet leaf, put narrow side on top, roll in from other side.

5. Bring to the boil plenty of salted water in large pan, add Capuns, poach for 20 minutes on low heat. Remove with skimming ladle, lie in preheated dish, sprinkle with Sbrinz and remaining herbs. Trickle with browned butter.

MALUNS

1 kg gekochte Schalenkartoffeln vom Vortag
300 g Spätzlimehl
Salz, schwarzer Pfeffer
100 g Bratbutter/Butterschmalz
50 g Butter

1. Kartoffeln zuerst schälen, dann auf der Röstiraffel reiben. Spätzlimehl beifügen, zwischen den Handflächen möglichst krümelig reiben, würzen.

2. Bratbutter am besten in einer Gusseisenpfanne erhitzen, Kartoffelmasse darin unter ständigem Rühren bei starker Hitze rösten. Geduld ist gefragt! Zum Schluss sollte die Masse aus kleinen, goldgelben Klümpchen bestehen. Die Butter unterrühren.

Wichtig Von der Pfanne auf den Tisch, lautet bei Maluns die Devise. Mit Apfelschnitzchen und Bergkäse servieren.

1 kg de pommes de terre en robe des champs cuites la veille
300 g de farine fleur
sel, poivre noir du moulin
100 g beurre pour rôtir
50 g de beurre

1. Peler les pommes de terre et les râper grossièrement. Ajouter la farine bise et frotter la masse entre les doigts pour former le crumble. Saupoudrer de sel et de poivre.

2. Faire chauffer le beurre de rôti dans une poêle en fonte et y faire griller la masse de pommes de terre en brassant constamment. Patience et encore une fois patience! A la fin, la masse se composera de petites portions granuleuses jaune doré. Ajouter le beurre et remuer rapidement.

Important De la poêle à la table, telle est la devise pour le Maluns. Servir avec du fromage d'alpage et de la compote de pommes.

1 kg cooked, unpeeled potatoes cooked the day before
300 g white flour (Spätzlimehl)
salt, black pepper
100 g cooking butter
50 g butter

1. Peel and grate potatoes. Add flour, and rub in with fingertips until mixture crumbles, season with salt and pepper.

2. Heat cooking butter in cast iron pan, brown potato mixture on high heat stirring continuously. Be patient! When ready, mixture should resemble little golden lumps. Stir in butter.

Important Serve from pan straight onto plates, together with cooked apple slices and alpine cheese.

ENGADINER NUSSTORTE
TOURTE AUX NOIX DE L'ENGADINE
NUT PIE FROM ENGADIN

1. Für den Teig Butter, Ei, Eigelb, Zucker und Zitronenschale glatt rühren, Mehl dazusieben, zu einem glatten Teig zusammenfügen, nicht kneten. Zugedeckt 30 bis 60 Minuten kühl stellen.

2. Den Rahm erwärmen, den Honig zufügen. Den Zucker in der Gusseisenpfanne hellbraun karamellisieren, mit dem Honigrahm ablöschen, Baumnüsse zufügen.

3. Den Boden der Springform mit Backpapier belegen, den Rand mit Butter einfetten. Backofen auf 200 °C vorheizen.

4. Den Butterteig in 3 gleich große Portionen teilen, eine auf dem Springformboden ausrollen. Ring darauf setzen. Aus der zweiten Teigportion für den Rand eine Rolle formen, in die Form legen und gut andrücken, den Rand etwas hochziehen. Temperierte Füllung in die Form füllen. Restlichen Teig für den Deckel rund ausrollen, mit einer Gabel einige Male einstechen. Den Rand mit dem wenig verdünnten Eigelb bepinseln. Deckel darauf setzen und andrücken, mit dem Eigelb bepinseln.

5. Nusstorte auf mittlerer Schiene in den Ofen schieben, bei 200 °C 30 Minuten backen.

1. Pour la pâte, remuer le sucre, l'œuf, le jaune et le zeste pour obtenir une masse homogène. Ajouter la farine en une fois et assembler la masse sans pétrir. Couvrir et laisser poser au frais, 30 à 60 minutes.

2. Pour la farce, faire chauffer la crème et ajouter le miel. Dans une poêle, faire caraméliser le sucre, brun clair; ajouter la crème, puis les noix.

3. Recouvrir le fond du moule de papier sulfurisé et bien graisser le bord. Préchauffer le four à 200 °C.

4. Répartir la pâte en 3 parts égales. Abaisser un tiers pour le fond. Monter le bord du moule. Pour le deuxième tiers de pâte, former un rouleau, le déposer le long du bord et l'appliquer contre le haut du bord en pressant avec les doigts. Verser la farce tiède sur le fond. Abaisser le reste de la pâte pour le couvercle et le piquer à la fourchette. Badigeonner le bord d'un peu de jaune d'œuf et y déposer le couvercle. Le presser un peu et le badigeonner avec du jaune d'œuf.

5. Faire cuire la tourte au milieu du four, 30 minutes à 200 °C.

1. For the pastry, mix butter, sugar, egg, egg yolk and lemon peel until smooth. Sift in flour, bring together, do not knead. Leave covered in cool place for 30 to 60 minutes.

2. For the filling, first heat cream, add honey. Caramelise sugar in cast iron pan until light brown, pour in cream and add walnuts.

3. Line base of spring form tin with baking paper, grease sides with butter. Preheat oven at 200 °C.

4. Divide butter pastry into 3 even portions, spread one out on base of spring form tin. Put ring on top. With second pastry portion form roll, place in tin and press on well, pull edges up a little. Fill tin with well tempered filling. Roll out remaining pastry for round lid, prick a few times with fork. Brush edges with diluted egg yolk, place lid on top and press down, also brush with egg yolk.

5. Back Nut Pie in middle of oven at 200 °C for 30 minutes.

für eine Springform
von 26 cm Ø

Butterteig
150 g weiche Butter
150 g Zucker
1 Ei , ½ Eigelb
1 Bio- Zitrone, abgeriebene Schale
350 g Weißmehl

1 Eigelb, wenig Wasser

Füllung
250 g Rahm / süße Sahne
50 g Bienenhonig
250 g Zucker
250 g Baumnüsse / Walnüsse, grob gehackt

pour un moule à charnière
de 26 cm Ø

pâte au beurre
150 g de beurre ramolli
150 g de sucre
1 œuf et ½ jaune d'œuf
1 citron non traité, zeste râpé
350 g de farine blanche

1 jaune d'œuf avec un peu d'eau

farce
250 g de crème entière
50 g de miel
250 g de sucre
250 g de cerneaux de noix, hachés grossièrement

for a spring form tin
of 26 cm Ø

Butter pastry
150 g soft butter
150 g sugar
1 egg, ½ egg yolk
1 Bio-lemon peel
350 g white flour

1 egg yolk, little water

Filling
250 g cream
50 g honey
250 g sugar
250 g walnuts, coarsely chopped

ZENTRALSCHWEIZ

Glarus, Luzern, Ob- und Nidwalden, Schwyz, Uri, Zug

1

2

1 Dampfer «Uri», Pilatus

2 Pilatus

3 Kultur- und Kongresszentrum, Luzern (KKL)

4 Telldenkmal

5 Kinder beim Nüsseln, Schwyz

6 Rütliwiese

3

5

4

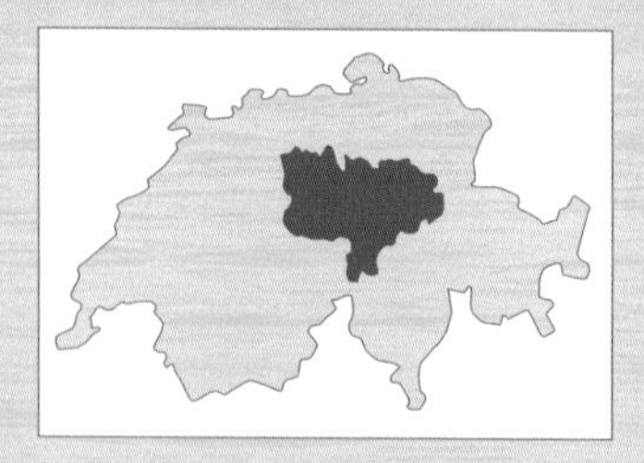

6

Wir sind mitten im Herzen der Schweiz, wo 1291 von den drei Bünden Uri, Schwyz und Unterwalden ein Bund geschlossen wurde, der durch Beitritte weiterer Schicksalsgefährten die heutige Schweiz begründete.

Zur Zentralschweiz gehören heute auch die Kantone Glarus, Zug und Luzern, alle im Alpenraum gelegen, mit Ausnahme von Luzern ohne große Städte, dafür mit imposanten Gebirgskulissen und engen, teils sehr abgeschiedenen Tälern und einer vornehmlich ländlicher Bevölkerung. Hier haben zahlreiche traditionelle Schweizer Rezepte ihre Wurzeln. Den Spinatknöpfli mit Schabziger (Spinat-Nocken mit Weichkäse) verleiht der würzige Geschmack des mit speziellen Kräutern hergestellten Glarner Schabzigers die unverwechselbare Note. Oder Schwynigs mit Cheschtene (Schweins-Eintopf mit Marroni), wo gekochte Kastanien mit dem Schweinefleisch zu einem speziellen geschmacklichen Einklang finden. Urner Aelplermagronen sind als typisches Alltagsgericht im Kanton Uri heimisch und machen in vielen Spitzenrestaurant Furore. In den klaren Gebirgsseen lebt ein gesunder Fischbestand – daraus resultieren viele feine Fischspezialiäten, z. B. gedünstete Albeli. Nicht vergessen darf man die Zuger Kirschtorte, die den Duft der zu Kirschwasser gebrannten Kirschen in die ganze Welt hinaus trägt.

Nous nous trouvons au cœur de la Suisse où, en 1291, les trois régions d'Uri, Schwyz et Unterwald se sont unies. En accueillant de plus en plus de cantons voisins au fil des années, s'est formée la Suisse de nos jours.

Les cantons de Glaris, de Zoug et de Lucerne font également partie de la région de Suisse centrale. Tous situés dans les Alpes, ils n'abritent pas de grande cité, excepté Lucerne. En revanche, ils ont en commun une impressionnante coulisse de cimes, des vallées étroites, parfois peu accessibles et habitées par une population rurale. De nombreuses recettes suisses puisent leurs racines dans cette région. Par exemple les «spaetzles aux épinards avec schabziger», qui sont marqués par la spécialité glaronnaise, le «schabziger», un fromage aux herbes séché à l'air. Ou le «Schwynigs mit Cheschtene», des côtelettes de porc fumées avec châtaignes qui réunit harmonieusement leurs parfums. Les «Aelplermagrone» uranaise sont un plat simple, typique et font fureur dans bon nombre de restaurants de montagne. Avec les poissons des lacs alpestres, on prépare par exemple «les Albelis au beurre». N'oublions pas comme la spécialité la «Zuger Kirschtorte», tourte régionale, avec l'adjonction de distillée de cerises, et reconnue dans le monde entier.

Here we are, in the heart of Switzerland, where in 1291 the three associations Uri, Schwyz and Unterwalden formed an alliance, that lead with the joining up of other companions of misfortune to the foundation of Switzerland as we know it today.

Today the cantons of Glarus, Zug and Lucern also belong to Central Switzerland – all are located in the alpine area, without any major town with the exception of Lucern, but offering in return high-located mountain scenery, narrow and partly isolated valleys as well as a primarily rural population. It is here that numerous very traditional Swiss recipes have their roots. For example the Spinatknöpfli mit Schabziger (spinach gnocchies with Schabziger cheese) that get their well-seasoned taste from the Glarner Schabziger cheese that is produced with special herbs and gives it its distinctive character. Or Schwynigs mit Chestene (Pork stew with chestnuts) in which cooked chestnuts create along with pork an exceptional flavour. The Urner Aelplermagronen are a typical local everyday meal in the canton Uri. The healthy fish population lives in the clear mountain lakes which results in many fish speciality of the Inner Switzerland. Not to forget the Zuger Kirschtorte as a culinary souvenir, which carries into the world the fragrance of distilled kirsch.

GEDÜNSTETE ALBELI
FÉRA AU BEURRE
BRAISED WHITE FISH

800 g Albelifilets
reichlich Butter
1 Bund Petersilie
1 Bund Schnittlauch
Salz, Pfeffer

1. Albeli mit kaltem Wasser überbrausen, mit Küchenpapier trocken tupfen. Petersilie von den Stielen zupfen und grob hacken. Schnittlauch in feine Röllchen schneiden.

2. Albelifilets mit Salz und Pfeffer würzen, beides sanft in das Fleisch einreiben.

3. Fischfilets am besten in zwei großen, nicht klebenden Bratpfannen zubereiten. Dafür großzügig Butter schmelzen, bevor sie zu schäumen beginnt, die Filets mit der Hautseite oben in die Bratpfanne legen und bei mittlerer Hitze beidseitig je 3 Minuten dünsten. Auf vorgewärmten Tellern anrichten.

4. Petersilie und Schnittlauch in der Fischpfanne gut andünsten, über die Fischfilets verteilen. Sofort servieren.

Tipp Mit Dampfkartoffeln/Salzkartoffeln servieren.

Albeli In der Zentralschweiz heißen kleine Felchen «Albeli». Sie werden meistens so filetiert, dass beide Filets noch durch das Rückengrat verbunden bleiben. Beim Dünsten in Butter ist es wichtig, dass sie nicht zu heiß ist, denn die in der Butter enthaltene Buttermilch verdampft vor dem Aufschäumen und übernimmt das Garen des Fisches.

800 g de filets de féra
1 gros morceau de beurre
1 bouquet de persil
1 botte de ciboulette
sel, poivre noir du moulin

1. Rincer les féras sous l'eau froide et les sécher avec du papier de ménage. Hacher grossièrement les feuilles du persil et ciseler finement la ciboulette.

2. Bien enduire les filets de féra de sel et de poivre.

3. Préparer les filets dans deux grandes poêles ne collant pas. Faire chauffer du beurre en abondance. Avant que le beurre mousse, y déposer les filets, la peau vers le haut. Les faire rôtir à feu moyen, environ 3 minutes de chaque côté. Disposer les filets sur des assiettes chaudes.

4. Faire revenir les fines herbes dans le beurre et en napper les filets de féra. Servir immédiatement.

Conseil Servir avec des pommes vapeur ou à l'eau.

Féra En suisse centrale, ce poisson d'eau douce de l'ordre des corégones s'appelle «Albeli». Il est en général fileté de manière à ce que les deux filets restent attachés par l'épine dorsale. En les cuisant, il est important de ne pas trop faire chauffer le beurre. Le babeurre contenu dans le beurre s'évapore peu avant que le beurre mousse et fait cuire le poisson.

800 g white fish fillets
plenty of butter
1 bunch of parsley
1 bunch of chives
salt, pepper

1. Rinse fish fillets in cold water, then dab off with kitchen roll. Pull off parsley from stalk, chop finely. Finely cut chive.

2. Season fish fillets with salt and pepper, gently rubbing into flesh.

3. Preferably prepare fish fillets in two large non-stick frying pans. Melt butter, before frothing up lie fillets into frying pan with skin side up and braise on medium heat for 3 minutes on each side. Serve on preheated plates.

Tip Serve with fried or steamed potatoes.

Albeli In Central Switzerland, small white fish are called «Albeli». They are usually filleted in a way, that both fillets are still connected to each other through the spinal cord. When braising in butter it is very important that it does not become to hot, because the buttermilk contained in the butter evaporates shortly before the butter froths up and takes over the cooking of the fish.

GERÄUCHERTES RIPPLI MIT MARRONI
CÔTELETTES DE PORC ET CHÂTAIGNES CARAMÉLISÉES
SMOKED RIBS WITH CHESTNUTS

250 g Dörrkastanien,
über Nacht in Wasser eingelegt
700 g geräuchertes Rippchen
(Kasseler Fleisch)
50 g Zucker
1 EL Butter
½ l Gemüsebrühe
400 g fest kochende Kartoffeln
300 g Karotten

1. Das Einweichwasser der Kastanien weggießen, die braune Häutchen und auch die braune Stellen am besten mit einem spitzen Messer entfernen.

2. Zucker in einem Gusseisentopf hellbraun karamellisieren, die Butter zufügen und aufschäumen lassen. Marroni zufügen und durch kräftiges Bewegen des Topfes mit dem Karamell überziehen, mit der Gemüsebrühe ablöschen. Das Fleisch auf die Kastanien legen, 40 bis 50 Minuten köcheln. Die Kastanien dürfen nicht zerfallen! Nach halber Kochzeit geschälte und klein gewürfelte Kartoffeln sowie Kartotten zufügen. Eventuell braucht es noch ein wenig Gemüsebrühe.

250 g de châtaignes séchées,
trempées dans l'eau durant
la nuit
700 g de côtes de porc fumées
50 g de sucre
1 cs de beurre
½ l de bouillon de légumes
400 g de pommes de terre
à chair ferme
300 g carottes

1. Retirer les peaux brunes des châtaignes.

2. Dans une poêle en fonte, faire caraméliser le sucre, brun clair; ajouter le beurre et faire mousser. Ajouter les châtaignes et les recouvrir de caramel en secouant la poêle. Ajouter le bouillon, déposer les côtes de porc sur les châtaignes et faire mijoter durant 40 à 50 minutes. Après 20 minutes de cuisson, ajouter les pommes de terre et les carottes pelées et coupées en cubes. Ajouter éventuellement encore un peu de bouillon.

250 g dried chestnuts, soaked
over night
700 g smoked pork ribs
50 g sugar
1 tbsp butter
approx. ½ l vegetable stock
400 g firm cooking potatoes
300 g carrots

1. Remove brown skins from chestnuts with a sharp pointed knife, also remove all brown patches.

2. Caramelise sugar in a cast iron pan until light brown, add butter and froth up. Then add chestnuts, coat well with caramel, pour over vegetable stock. Lie smoked pork ribs on chestnuts and simmer for 40 to 50 minutes. After 20 minutes add peeled, cubed potatoes and carrots. Add little vegetable stock if needed.

URNER ÄLPLERMAGRONEN
MACARONIS ET POMMES DE TERRE AU FROMAGE
POTATO AND MACARONI BAKE FROM URNEN

500 g fest kochende Kartoffeln
200 g Makkaroni
200 g geriebener Bergkäse
1 gehackte Knoblauchzehe
50 ml Milch
50 g Rahm / süße Sahne
Salz

2 EL natives Olivenöl extra
2 mittelgroße Zwiebeln,
in feinen Ringen

1. Kartoffeln schälen und in etwa 20 mm große Würfelchen schneiden.

2. Kartoffelwürfelchen mit den Makkaroni im Salzwasser garen, 10 Minuten, in einem Sieb abtropfen lassen.

3. Den Backofen auf 210 °C vorheizen.

4. Kartoffel-Makkaroni-Gemisch mit dem geriebenen Bergkäse und dem Knoblauch in eine Gratinform füllen, Die Milch und den Rahm zufügen. Den restlichen Käse darüber streuen.

5. Älplermagronen in den vorgeheizten Ofen schieben, während etwa 15 Minuten heiß werden lassen.

6. Die Zwiebelringe im Öl knusprig braten, über die Älplermagronen verteilen.

500 g de pommes de terre
à chair ferme
200 g de macaronis
200 g de fromage d'alpage râpé
1 gousse d'ail hachée
½ dl de lait
½ dl de crème entière
sel

2 cs d'huile d'olive vierge extra
2 oignons moyens, en fines
rondelles

1. Peler les pommes de terre et les débiter en cubes de 20 mm.

2. Faire bouillir une grande quantité d'eau salée et y faire cuire les macaronis avec les pommes de terre, 10 minutes. Jeter l'eau.

3. Préchauffer le four à 210 °C.

4. Déposer les macaronis et les pommes de terre dans un plat thermorésistant en alternant avec du fromage râpé. Parsemer d'ail et verser la crème et le lait par-dessus. Parsemer du reste de fromage râpé.

5. Réchauffer les Älplermagronen dans le four, 15 minutes à 210 °C.

6. Rôtir les oignons dans l'huile d'olive et répartir sur les macaronis avant de servir.

500 g firm cooking potatoes
200 g macaroni
200 g grated alpine cheese
1 clove of garlic, chopped
50 ml milk
50 ml cream
salt

2 tbsp extra virgin olive oil
2 medium sized onions,
finely sliced

1. Peel potatoes and cut into 20 mm cubes.

2. Cook macaroni together with potatoes in salted water for 10 to 12 minutes, leave to drain in sieve.

3. Preheat oven at 210 °C.

4. Alternately fill potatoes and macaroni with cheese and garlic into oven proof dish, add milk and cream. Sprinkle the remaining cheese over top.

5. Slide Älplermagronen into preheated oven, heat for 15 minutes.

6. Fry onion rings in olive oil until crispy, spread them over the Älplemagronen.

SPINATKNÖPFLI MIT SCHABZIGER
SPAETZLES AUX ÉPINARDS ET SCHABZIGER
SPINACH GNOCCHIS WITH SCHABZIGER CHEESE

400 g Weißmehl oder Knöpflimehl
1 KL Salz, 4 Eier
150 ml Milchwasser (halb Wasser/halb Milch)
300 – 400 g kleinblättriger Spinat
Butter
50 g geriebener Schabziger Käse

1. Spinat tropfnass in den Kochtopf geben und bei starker Hitze zusammenfallen lassen, in einem Sieb abkühlen lassen, fein hacken.

2. Mehl, Salz, Eier und Milch zu einem Teig rühren, mit einem Holzlöffel klopfen, bis er Blasen wirft, Spinat unterrühren. Knöpfliteig etwa 30 Minuten quellen lassen.

3. In einem Kochtopf Salzwasser erhitzen, den Teig portionsweise in das kochende Wasser streichen (Knöpflisieb) oder schaben (Teig auf ein Holzbrett geben und mit einem Messer ins Wasser schaben). Sobald die Knöpfli an die Oberfläche steigen, diese mit dem Schaumlöffel herausnehmen und unter kaltem Wasser abschrecken.

4. Die Butter schmelzen, die Knöpfli darin schwenken und erhitzen. Den Schabziger Käse darüber streuen.

400 g de farine blanche de blé
1 cc de sel
4 œufs
1,5 dl de lait et d'eau, moitié moitié
300 à 400 g d'épinards en branches
beurre
50 g de schabziger râpé

1. Dans une grande marmite, faire chiffonner à feu vif les épinards encore mouillés, les verser dans une passoire et les presser. Les hacher finement.

2. Dans une grande jatte, remuer la farine, le sel, les œufs et le lait dilué. Battre la pâte avec une cuiller en bois jusqu'à ce que la pâte forme des bulles. Incorporer les épinards laisser reposer la pâte durant 30 minutes.

3. Porter à ébullition de l'eau salée dans une grande marmite. Verser la pâte par portions d'environ 100 g sur une planche en bois et la faire tomber en petits morceaux dans l'eau bouillante à l'aide d'un bon couteau. Dès que les spaetzles remontent à la surface, les retirer à l'aide d'une écumoire et les passer sous l'eau froide.

4. Faire fondre le beurre et y réchauffer les spaetzles. Saupoudrer de schabziger et servir immédiatement.

400 g spelt- or wheat- or Knöpfli flour
1 tsp salt
4 eggs
150 ml milky water (half water/half milk)
300 – 400 g small leaved spinach
butter
50 g grated Schabziger cheese

1. Put washed spinach into saucepan, on high heat let it fall apart, strain, cool and chop finely.

2. Mix flour, salt, eggs and milky water to a dough, beat with wooden spoon until bubbles form, mix in spinach. Leave dough to rise for 30 minutes.

3. Heat salt water in large saucepan, spread dough in portions (over Knöpfli sieve) or scrape (put dough on cutting board and scrape with knife into water) into boiling water. As soon as the Knöpfli rise to the surface, remove with skimming ladle and rinse with cold water.

4. Heat butter, toss Knöpfli in it and heat up. Sprinkle with Schabziger cheese. Serve immediately.

TICINO – TESSIN

1

2

1 Brissago

2 Ascona

3 Lugano

4 Lugano

5 Lavertezzo

3

4

5

Aus der «Sonnenstube» kommen Gerichte, die ihre Herkunft aus dem südlichsten Teil des Landes nicht leugnen können. Und die Nachbarschaft zu Italien wird durch viele italienisch geprägte Gerichte deutlich.

Es ist nicht nur die Sprache, worin sich die Verwandtschaft zu unserem südlichen Nachbarland spiegelt. Auch den Tessinern ist das feurige Temperament der Südländer eigen, die Liebe zum Gesang und geselligem Zusammensein. Und zur «Cucina casalinga», der häuslichen Kochkunst. Wenn von «Cucina casalinga» die Rede ist, heißt das, dass es sich um von der Hausfrau oder der «Padrona» zubereitete Gerichte handelt, in der Gastronomie zumindest, dass sie original aus dem häuslichen Repertoir des Betriebes stammen. Die Minestrone (Gemüsesuppe), wohl das universalste Gericht dieser Küche, trägt mit ihren einfachen, in jedem Garten gedeihenden Zutaten noch immer den Stempel der Armut, die vor dem wirtschaftlichen Aufschwung durch den Tourismus in der ganzen Region herrschte. Doch was haben die «Mammas» aus diesem Rezept gemacht! Eine Spezialität sondergleichen, immer den Jahreszeiten entsprechend und immer köstlich! Dasselbe lässt sich vom Risotto sagen, dem südländischen Reisgericht, oder der Ossobuco, einer Kalbshaxe.

Les plats de Suisse méridionale sont typiques pour leur région d'origine ensoleillée. Sa proximité avec l'Italie se retrouve dans le caractère italien de bien des spécialités.

Mais ce n'est pas uniquement la langue qui confirme la parenté du Tessin avec l'Italie. Les habitants de ce canton ont le tempérament passionné des gens du Sud, aiment le chant et les danses typiques en société. Et bien sûr, la «Cucina casalinga», la cuisine à la mode de chez soi. Si l'on parle de «Cucina casalinga», cela signifie que les mets sont préparés personnellement par la ménagère, «la Padrona», ou, du point de vue gastronomique, que les plats font partie du répertoire familial. La «Minestrone», un potage aux légumes, le plat universel de cette région, avec ses ingrédients simples produits dans son propre jardin potager, est un témoin des temps de pauvreté qui ont marqué cette région avant l'essor du tourisme. Mais qu'ont fait les «mammas» de cette recette? Une spécialité sans pareil, toujours adaptée aux saisons et délicieuse. On peut en dire autant du risotto, ce plat de riz méridional ou de «l'ossobuco», les jarrets de veau.

Many dishes cannot deny their origin. Coming from the southern part of the «Sunny room of Switzerland» and the neighbourhood to Italy becomes apparent through many Italian influenced dishes.

It is not only the language that reflects the relation to our southern neighbouring country, also the fiery Southern European temperament of the Ticinos, their love for singing and friendly get-togethers and of course the «Cucina casalinga», the domestic art of cooking. When talking about the «cucina casalinga», that means that the dishes have been prepared personally by the Lady of the House, the «Padrona», and in the catering trade the original recipes are used.The Minestrone (vegetable soup), probably the most universal dish, still carries with its simple, in every garden thriving ingredients the mark of poverty, that ruled the whole region before the economical upward trend set as a result of tourism. But what have the «Mammas» made out of this recipe! A speciality unheard of, always in accordance with the seasons and always delicious! The same can be said about the Risotto, the Southern European rice dish, or the Ossobuco, the beef shank.

MINESTRONE
POTAGE AUX LÉGUMES
VEGETABLE SOUP

2 EL natives Olivenöl extra
1 Lauch
1– 2 Karotten
1–2 fest kochende Kartoffeln
1 Kohlrabi
2 Frühlingszwieblen
mit Röhrchen
½ Knollensellerie
150 g Makkaroni
100 ml Weißwein
1,5 l Gemüsebrühe
Salz, frisch gemahlener Pfeffer

fein gehackte Kräuter für
die Garnitur

1. Das Gemüse bei Bedarf schälen, in Stäbchen, Ringe oder Streifen schneiden.

2. Das Gemüse im Olivenöl andünsten, den Weißwein und die Gemüsebrühe zufügen, aufkochen, 20 bis 30 Minuten köcheln lassen. Die Makkaroni nach 15 Minuten zufügen und mitkochen. Die Minestrone würzen.

3. Minestrone in Tellern anrichten, mit den Kräutern bestreuen.

2 cs d'huile d'olive vierge extra
1 poireau
1–2 carottes
1–2 pommes de terre
à chair ferme
1 chou-rave
2 oignons de printemps avec la
verdure, en fines rondelles
½ céleri
150 g de macaronis
1 dl de vin blanc
1½ l de bouillon de légumes
sel aromatisé, poivre noir
du moulin

bouquet de fines herbes
hachées pour décorer

1. Peler les légumes si nécessaire. Les couper après en tronçons ou bâtonnets ou rondelles.

2. Faire revenir tous les légumes dans l'huile d'olive. Ajouter le vin blanc ainsi que le bouillon de légumes. Porter à ébullition et faire mijoter 20 à 30 minutes. Ajouter les pâtes après 15 minutes. Assaisonner.

3. Parsemer de fines herbes et servir le potage.

2 tbsp extra virgin olive oil
1 leek
1–2 carrots
1–2 firm cooking potatoes
1 kohlrabi
2 spring onions with green,
finely sliced
½ cellery
150 g macaronis
100 ml white wine
1½ l vegetable stock
vegetable stock extract, salt,
pepper

freshly chopped herbs to garnish

1. Clean vegetables (peel if needed), cut into sticks, strips or slices.

2. Lightly braise all the vegetables including potatoes in olive oil. Add white wine and vegetable stock, bring to the boil, cook for 20 to 30 minutes on low heat. After 15 minutes add macaronis, season.

3. Serve vegetable soup, sprinkled with herbs.

OSSOBUCO CASALINGA
JARRETS DE VEAU ET LÉGUMES
HOMEMADE VEAL KNUCKLES

4 große Kalbshaxen
Salz, schwarzer Pfeffer
2 EL natives Olivenöl extra
1 große Zwiebel, 2 Karotten
½ Knollensellerie
1 kleine Lauchstange
2 geschälte Tomaten
½ l trockener Weißwein
1 durchgepresste Knoblauchzehe
wenig Zitronenschale
Rosmarin, Salbei, Thymian
gehackte Petersilie

1. Zwiebel, Karotten sowie Sellerie und Lauch putzen und bei Bedarf schälen) und klein schneiden. Den Stielansatz der Tomaten den Stielansatz entfernen, Früchte würfeln.

2. Kalbshaxen mit Salz und Pfeffer würzen, im Öl auf beiden Seiten kräftig anbraten. Zwiebeln, Gemüse und Tomaten zufügen und andünsten, mit Weißwein ablöschen und aufkochen. Durchgepressten Knoblauch, Zitronenschalen sowie Kräuter, ausgenommen Petersilie, zufügen, bei schwacher Hitze 70 bis 80 Minuten zugedeckt schmoren. Die Sauce nach Belieben nachwürzen. Petersilie darüber streuen.

Tipp Mit Gnocchi, Nudeln, Risotto, Seite 47, oder Rösti, Seite 67, oder Kartoffelstock servieren.

4 grands jarrets de veau
sel, poivre noir du moulin
2 cs d'huile d'olive vierge extra
1 grand oignon
2 carottes
½ céleri
1 petit poireau
2 tomates pelées
½ l de vin blanc
1 gousse d'ail pressée
un peu de zeste de citron râpé
romarin, thym, sauge
persil haché

1. Peler les légumes si nécessaire et les couper en petits dés.

2. Saler et poivrer les jarrets de veau et les saisir dans l'huile, des deux côtés. Ajouter les légumes et les faire revenir. Ajouter le vin blanc et porter à ébullition. Ajouter les fines herbes sans le persil et faire mijoter durant 70 à 80 minutes. Corriger l'assaisonnement et parsemer de persil.

Conseil Servir avec des gnocchis, des nouilles, du riz, page 47, des rœstis, page 67, ou de la purée de pommes de terre.

4 large veal knuckles
salt, black pepper
2 tbsp extra virgin olive oil
1 large onion
2 carrots
½ cellery
1 small leek
½ l white wine
1 clove of garlic, pressed
little lemon peel
rosemary, sage, thyme
chopped parsley

1. Clean onions, carrots, cellery and leek (peel if needed) and cut into small pieces. Cut tomatoes into cubes.

2. Season veal knuckles with salt and pepper, fry in oil until brown on both sides. Add onions, vegetables as well as tomatoes and braise lightly, pour over white wine, bring to the boil. Add garlic, lemon peel and herbs excluding parsley, braise on low heat for 70 to 80 minutes. Season if necessary and sprinkle with parsley.

Tip Serve with gnocchi or noodles or rice, page 47, or rösti, page 67, or mashed pottoes.

RISOTTO TICINESE
RISOTTO À LA TESSINOISE
RISOTTO FROM TICINO

2 EL natives Olivenöl extra
1 kleine Zwiebel, fein gehackt
300 g Mittelkornreis,
z. B. Arborio, Vialone
100 ml trockener Weißwein
ca. 800 ml Gemüsebrühe
40 g Butter
100 g geriebener Sbrinz
Salz, Pfeffer

glattblättrige Petersilie
für die Garnitur

1. Reis in einem Drahtsieb ausgiebig mit warmem Wasser überbrausen, abtropfen lassen.

2. Zwiebeln im Olivenöl bei schwacher Hitze andünsten, Reis zufügen und mitdünsten, bis er glasig ist. den Weißwein zufügen, vollständig einkochen lassen. Gemüsebrühe nach und nach zufügen, so dass der Reis immer knapp mit Flüssigkeit bedeckt ist. Unter häufigem Rühren bei schwacher Hitze al dente kochen, 20 Minuten. Butterstückchen und die Hälfte des Sbrinz unterrühren, mit Salz und Pfeffer abschmecken. Mit Petersilie garnieren. Restlichen Sbrinz separat servieren.

2 cs d'huile d'olive vierge extra
1 petit oignon haché fin
300 g de riz à grain rond,
p. ex. Arborio, Vialone
1 dl de vin blanc
environ 8 dl de bouillon de légumes
40 g de beurre
100 g de parmesan râpé
sel, poivre

persil plat pour décorer

1. Bien laver le riz sous l'eau chaude. Egoutter.

2. Faire revenir l'oignon dans l'huile d'olive. Ajouter le riz et faire revenir jusqu'à ce qu'il soit translucide. Ajouter le vin blanc et le faire évaporer, puis ajouter le bouillon de légumes de manière à ce que la surface du riz soit toujours recouverte de liquide. Ajouter du bouillon chaud, si nécessaire. Faire cuire le riz al dente en remuant régulièrement, environ 20 minutes. Ajouter le beurre et la moitié du parmesan. Saler et poivrer. Décorer avec le persil et parsemer du reste de parmesan avant de servir.

2 tbsp extra virgin olive oil
1 small onion, finely chopped
300 g medium grain rice,
e.g. Arborio, Vialone
100 ml white wine
approx. 800 ml vegetable stock
40 g butter
100 g Parmesan, grated
salt, pepper

Italien parsley (ilprezzemola)
to garnish

1. Wash rice with warm water in metal sieve, leave to drain.

2. Lightly braise onions on low heat, add rice and lightly braise until transparent. Add white wine, cook until fully absorbed. Add vegetable stock slowly, in order to keep rice always just covered with liquid. Cook al dente on low heat for approx. 20 minutes, whilst stirring often. Stir in half of Parmesan and butter in pieces, season with salt and pepper and garnish with parsley. Serve remaining Parmesan separately.

TESSINER KLOSTERKUCHEN
GÂTEAU AUX ÉPINARDS, BOLETS ET FROMAGE
MONASTERY CAKE FROM TICINO

Hauptmahlzeit

für eine Form von 26 cm Ø

3 EL natives Olivenöl extra
1 Zwiebel, fein gehackt
2 Knoblauchzehen, fein gehackt
2 EL gehackte Petersilie
25 g getrocknete Steinpilze, über Nacht in Wasser eingeweicht
800 g Spinat
120 g Brotwürfelchen
100 ml Milch, 50 g Butter
3 Eier, 100 g geriebener Tessiner Bergkäse
Salz, Muskatnuss, Pfeffer

1. Brotwürfel in der Milch 30 Minuten einweichen, mit einer Gabel zerpflücken. Pilze gut ausdrücken, grob hacken. Spinat tropfnass in den Kochtopf geben und bei starker Hitze zusammenfallen lassen, in einem Sieb abkühlen lassen, ausdrücken und fein hacken.

2. Den Knoblauch mit den Zwiebeln im Öl andünsten, die Petersilie mit den Pilzen und dem Spinat zufügen und mitdünsten.

3. Den Backofen auf 180 °C vorheizen.

4. Spinat, Eier, Brot, Butter (50 g) und die Hälfte des Käses vermengen, gut würzen. Spinatmasse in eine eingefettete Form füllen, restlichen Käse darüber streuen.

5. Tessiner Klosterkuchen in der Mitte in den Backofen schieben und bei 180 °C 40 bis 50 Minuten backen.

Plat principal

pour un moule de 26 cm Ø

3 cs d'huile d'olive vierge extra
1 oignon haché fin
2 gousses d'ail hachées fin
2 cs de persil haché
25 g de bolets séchés, trempés dans du l'eau dilué durant une nuit
800 g d'épinards en branches
120 g de pain coupé en dés
1 dl de lait, 50 g de beurre
3 œufs
100 g de fromage d'alpage tessinois
sel, poivre noir du moulin, noix de muscade

1. Mettre tremper environ 30 minutes les morceaux de pain dans le lait, puis les écraser à l'aide d'une fourchette. Bien presser les bolet et les hacher fin. Dans une grande marmite, faire chiffonner à feu vif les épinards mouillés, les verser dans une passoire et les presser. Les hacher fin.

2. Faire revenir l'oignon et l'ail dans l'huile. Ajouter le persil, les bolets et les épinards et faire revenir encore.

3. Mélanger les épinards, les œufs, le pain, le beurre (50 g) et la moitié du fromage et bien assaisonner. Verser cette masse dans un moule bien graissé et parsemer avec le reste du fromage.

4. Faire cuire le gâteau au milieu du four préchauffé, 40 à 50 minutes à 180 °C.

Main meal

For a backing tin of 26 cm Ø

3 tbsp extra virgin olive oil
1 onion, finely chopped
2 cloves of garlic, finely chopped
2 tbsp parsley, chopped
25 g dried ceps (mushrooms), soaked over night
800 g spinach
120 g cubed bread
100 ml milk, 50 g butter
3 eggs
100 g Ticino alpine cheese, grated
salt, nutmeg, pepper

1. Soak cubed bread in milk for 30 minutes, pick to pieces with fork. Squeeze out ceps and chop coarsely. Put wet spinach in sauce pan and let it fall apart on high heat, strain and cool, squeeze out and chop finely.

2. Lightly braise garlic and onions in oil, add parsley, ceps and spinach, lightly braise.

3. Preheat oven at 180 °C.

4. Mix spinach, eggs, bread, butter (50 g) as well as half of cheese, season well. Fill into backing tin, sprinkle remaining cheese on top.

5. Bake Tessiner Klosterkuchen in middle of oven at 180 °C for 40 to 50 minutes.

NORDWESTSCHWEIZ Aargau, Basel, Solothurn

1

2

1 Basler Münster

2 St. Ursus Münster, Solothurn

3 Römisches Amphitheater, Windisch (Aargau)

4 Schloss Hallwil (Aargau)

3

4

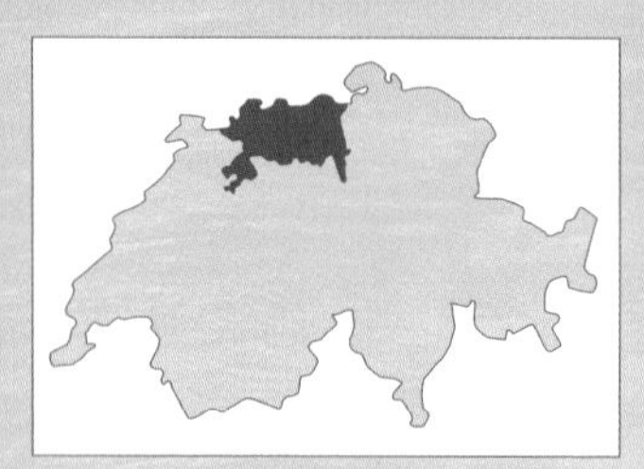

Die Nordwestschweiz ist eingebettet zwischen den Hügelzügen des Juras und den Alpen. Am Jura-Nordfuss liegt die Stadt Basel am Rheinknie. Sie spielt eine wichtige Rolle als Pforte zu den Nachbarn Frankreich und Deutschland.

Auch in der Nordwestschweiz konnten sich zahlreiche kulinarische Traditionen bis heute halten. In Basel spielt die Fastnacht eine zentrale Rolle: Was wäre nach «anstrengenden» Stunden mit Pfeife und Trommel der frühe Morgen ohne heiße Mehlsuppe und Zwiebelwähe? Etwa so unvorstellbar wie die Basler Messe ohne Mässmogge, wie das bunte Zuckernaschwerk heißt. Und obschon der Salm aus dem Rhein fast verschwunden ist, hält sich das Basler Gericht noch immer auf den Speisekarten. Der Aargau, nach wie vor wichtiger Agrarkanton, hütet seine mit der Scholle verbunden Genüsse. Spinatküchlein etwa zeugen vom phantasievollen Umgang mit einfachen Nahrungsmitteln. Gleiches gilt für die «feuchte» Rüeblitorte (Karottenkuchen. Im Fricktal und im Kanton Baselland gedeihen die süßesten Kirschen. Wie wär's mit einem Kirschauflauf. Und im Solothurnischen sollte man den Leberspieß nicht verpassen!

Cette région est dominée au nord par le Jura et au sud par les vastes plaines du Mittelland, le plateau entre les monts du Jura et les Alpes. Au pied nord du Jura, Bâle, au bord du Rhin, joue un rôle important en tant que lien avec nos voisins, l'Allemagne et la France.

Mais ici également, de vieilles traditions se sont maintenues. A Bâle, la fête de carnaval joue un rôle central. Comment jouer du tambour et du fifre durant des nuits entières sans déguster le lendemain matin la fameuse «Basler Mählsuppe», le potage à la farine dorée, suivie d'un morceau de «Zibelewäije», une tarte aux oignons? Tout aussi inimaginable que la Foire d'automne de Bâle sans «Mässmogge», une sucrerie locale multicolore. Même si le saumon d'eau douce a depuis longtemps déserté les eaux du Rhin, le plat traditionnel de Bâle s'est maintenu sur la carte du menu. L'Argovie, durant des siècles un canton agraire, maintient ses traditions paysannes. Les «Spinattötschli» sont le témoin de ses mets simples et originels. Tout comme la tourte aux carottes qui s'est maintenue en tant que dessert. Dans la vallée de Frick, au climat idéal pour la culture des cerises, les gratins aux cerises s'imposent. Alors que du côté de la ville de Soleure, il ne faut pas omettre de goûter les brochettes de foie.

This region is dominated by the high Jura ranges and the wide open country towards the Mittelland. The town of Basel at the knee of the river Rhine plays the important role of the gate towards the countries France and Germany.

But also here many culinary traditions have remained. In Basel, carnival plays a central role: what would the early morning be like, after hours of drum playing, if there would not be some hot «Mählsuppe» (Flour soup) and «Zwiebelwähe» (Onion cake)? That would be as difficult to imagine as a Basel Fair without Mässmogge, which is the name of the local brightly coloured candies. And even though salmon has almost disappeared from that stretch of water, the dish Basler salm has remained on the menus, although today it is mainly made with pike or pike-perch. Aargau, which was for a long period of time almost exclusively an agricultural canton, looks after its own culinary delights. Spinattötschli and the Rüeblitorte, which is appreciated in the whole canton as cake, show the imaginative way of dealing with simple food. In the Fricktal the climate is perfect for the cultivation of cherries used for the Chirschiaufflauf (Cherry bake). In the canton of Solothurn, one should not miss out on trying the local speciality: Liver on the spit!

BASLER MEHLSUPPE
POTAGE BÂLOIS À LA FARINE
FLOUR SOUP FROM BASEL

5 EL Weißmehl
60 g Butter
1 l Gemüsebrühe
50 ml Rotwein
100 g geriebener Gruyère

2 EL natives Olivenöl extra
1 große Zwiebel, in feinen Ringen

1. Das Mehl in einem Gusseisentopf unter Rühren bei starker Hitze braun rösten, dann leicht abkühlen lassen, Butter unterrühren. Die Gemüsebrühe zufügen, unter gelegentlichem Rühren 20 Minuten köcheln lassen. Den Rotwein kurz vor dem Servieren unterrühren, nochmals erhitzen.

2. Die Zwiebelringe im Öl bräunen.

3. Die Mehlsuppe in vorgewärmten Tellern anrichten, mit den gerösteten Zwiebelstreifen bestreuen. Käse darüber streuen oder separat servieren.

5 cs de farine blanche
60 g beurre
1 l de bouillon de légumes
½ dl de vin rouge
100 g de gruyère râpé

1 grand oignon, en rondelles
2 cs d'huile d'olive vierge extra

1. Faire rôtir la farine à feu vif, dans une poêle, en remuant constamment. Laisser refroidir un peu, ajouter le beurre en remuant. Ajouter le bouillon, faire mijoter environ 20 minutes en remuant de temps en temps. Avant de servir, ajouter le vin rouge et porter à ébullition.

2. Bien rôtir les rondelles d'oignons dans l'huile d'olive.

3. Servir le potage. Décorer avec les rondelles d'oignons. Parsemer de gruyère ou le servir séparément.

5 tbsp white flour
60 g butter
1 l vegetable stock
50 ml red wine
100 g grated Gruyère cheese

1 large onion, in strips
2 tbsp extra virin olive oil

1. Brown flour in cast iron pan whilst stirring on high heat until, cool down slightly, mix in butter. Pour in vegetable stock, cook gently for about 20 minutes stirring occasionally. Shortly before serving, pour in red wine, heat up again.

2. Brown onions in oil.

3. Serve flour soup, garnish with onion strips. Sprinkle with Gruyère cheese or serve separately.

SALM NACH BASLER ART
SAUMON BÂLOIS
SALMON «THE BASEL WAY»

1. Für den Bierteig Mehl, Bier, Öl und Salz glatt rühren. Eiweiß steif schlagen und unterziehen.

2. Backofen auf 70 °C vorheizen.

3. Salmtranchen beidseitig mit Salz und Pfeffer würzen, mit Zitronensaft einpinseln, gut 10 Minuten marinieren, mit Küchenpapier trocken tupfen. Öl in einer Bratpfanne erhitzen, Salm darin beidseitig kurz braten, in eine Schüssel legen, im vorgeheizten Ofen zugedeckt warm stellen.

4. Schalotten in der Fischpfanne andünsten, Weißwein und Gemüsebrühe zufügen, bei starker Hitze auf die Hälfte einkochen lassen, würzen.

5. Das Backöl 2 cm hoch in eine Gusseisenpfanne oder in eine andere hoch erhitzbare Pfanne füllen, erhitzen. Zwiebelringe durch den Bierteig ziehen, im heißen Öl knusprig backen, auf Küchenpapier abtropfen lassen.

6. Salmtranchen auf den vorgewärmten Tellern anrichten, mit der heißen Sauce umgießen, Zwiebelringe dazulegen.

1. Pour la pâte à la bière, bien remuer la farine, la bière, l'huile et le sel. Battre le blanc d'œuf, l'ajouter à la pâte.

2. Préchauffer le four à 70 °C.

3. Saler et poivrer les tranches de saumon des deux côtés, les badigeonner de jus de citron et laisser reposer environ 10 minutes au réfrigérateur. Faire chauffer l'huile dans une poêle, sécher le poisson en le tamponnant avec du papier de ménage. Rôtir brièvement les tranches de poisson des deux côtés et les déposer dans un plat pour les garder au chaud dans le four.

4. Faire revenir les échalotes dans la même poêle, ajouter le vin et le bouillon de légumes et faire réduire de moitié à grand feu.

5. Faire chauffer l'huile pour frire dans une poêle profonde ou une friteuse. Tremper les rondelles d'oignons dans la pâte, les faire frire, bien croustillantes. Les égoutter sur du papier de ménage.

6. Disposer les tranches de saumon sur quatre assiettes chaudes, napper de sauce et décorer avec les rondelles d'oignons. Accompagner de pommes nature.

1. For beer batter, mix flour, beer, oil, and salt to a smooth paste. Beat egg white until stiff, fold in.

2. Preheat oven at 70 °C.

3. Sesaon salmon slices on both sides with salt and pepper. Brush with lemon juice, marinate for 10 minutes, dab dry with kitchen roll. Heat olive oil in frying pan, shortly fry salmon on both sides, place in dish and keep warm in preheated oven.

4. Lightly braise onions in fish pan, add white wine and vegetable stock, cook on high heat until half thickened, season.

5. Fill cast iron pan, or ohter high heat resistant pan, with 2 cm frying oil, heat up. Dip onion rings in beer batter, fry in hot oil until crispy, leave to drain on kitchen roll.

6. Serve salmon slices on preheated plates, pour on sauce and add onion rings. Serve.

4 Salmtranchen, 4 cm dick
Salz, Pfeffer, Zitronensaft
3 EL natives Olivenöl extra
4 Schalotten, fein gehackt
100 ml Weißwein
200 ml Gemüsebrühe
Salz, Pfeffer

Zwiebeln im Bierteig
200 g Zwiebeln, in feinen Ringen
75 g Weißmehl
100 ml helles Bier
1 TL natives Olivenöl extra
1 Msp Salz
½ Eiweiß

Öl zum Backen

4 tranches de saumon, 4 cm d'épaisseur
sel, poivre du moulin
jus de citron
3 cs d'huile d'olive vierge extra
4 échalotes hachées fin
1 dl de vin blanc
2 dl de bouillon de légumes
sel, poivre noir du moulin

oignons en pâte
200 g d'oignons en fines rondelles
75 g de farine blanche
1 dl de bière blonde
1 cc d'huile d'olive vierge extra
1 pc de sel
½ blanc d'œuf

huile pour frire

4 slices of salmon, 4 cm thick
salt, pepper, lemon juice
2 tbsp extra virgin olive oil
4 onions, finely chopped
100 ml white wine
200 ml vegetable stock
salt, pepper

Onion rings in beer batter
200 g onions, in fine rings
75 g white flour
100 ml light beer
1 tsp extra virgin olive oil
1 pinch of salt
½ egg white

oil to fry

GEROLLTER KALBSBRATEN

ROULÉ DE VEAU AUX PRUNEAUX

ROLLED VEAL ROAST WITH DAMSONS AND SHALLOTS

800 g gerollter Kalbsbraten
Salz, Pfeffer, Thymian, Senf
2 EL natives Olivenöl extra
1 Karotte
¼ Knollensellerie
150 g Schalotten
1 Knoblauchzehe
100 ml Weißwein
200 ml Gemüse- oder Fleischbrühe

150 g Dörrzwetschgen

1. Den Kalbsrollbraten mit Salz, Pfeffer sowie Thymian würzen, mit Senf einstreichen. 30 Minuten marinieren.

2. Gemüse putzen (schälen) und zerkleinern.

3. Das Olivenöl in einem Brattopf erhitzen, den Kalbsrollbraten darin kräftig anbraten. Sämtliches Gemüse zufügen und andünsten. Weißwein zufügen, auf die Hälfte einkochen lassen.

4. Backofen auf 220 °C vorheizen.

5. Gemüsebrühe und Dörrzwetschgen zum Fleisch geben, erhitzen.

6. Kalbsrollbraten in der Mitte in den vorgeheizten Ofen schieben, bei 220 °C rund 60 Minuten schmoren. Ab und zu wenig Fleischbrühe nachgießen und den Braten damit übergießen.

Wichtig Braten während der Schmorzeit nicht zudecken, da der Jus am Schluss von fast sirupartiger Konsistenz sein soll.

800 g de rôti de veau roulé
sel, poivre, thym, moutarde
2 cs d'huile d'olive vierge extra
1 carotte
¼ de céleri
150 g d'échalotes
1 gousse d'ail
1 dl de vin blanc
2 dl de bouillon de légumes

150 g de pruneaux secs

1. Enduire le rôti de veau de sel, poivre, thym et moutarde et faire mariner 30 minutes.

2. Préparer les légumes et les débiter en petits dés.

3. Faire chauffer l'huile dans une poêle et saisir le rôti de tous les côtés. Ajouter tous les légumes et les faire revenir. Ajouter le vin blanc, faire réduire de moitié.

4. Préchauffer le four à 220 °C.

5. Ajouter le bouillon et les pruneaux secs à la viande et porter à ébullition.

6. Faire mijoter le rôti au milieu du four, 60 minutes environ à 220 °C. Ajouter un peu de bouillon de temps en temps et en arroser le rôti.

Important Ne pas couvrir le rôti durant la cuisson. A la fin de la cuisson, le jus devrait être de consistance sirupeuse.

800 g veal roast roll
salt, pepper, thyme, mustard
2 tbsp extra virgin olive oil
1 carrot
¼ cellery
150 g shallots
1 clove of garlic
100 ml white wine
200 ml vegetable or beef stock
150 g dried damsons

1. Season veal roll with salt, pepper and thyme, coat with mustard. Marinate for about 30 minutes.

2. Peel vegetables and cut into pieces.

3. Heat oil in roasting pot, fry veal roll until brown. Add all vegetables and lightly braise. Add white wine, cook until half thickened.

4. Preheat oven at 220°C.

5. Add vegetable stock and dried damsons to meat, bring to the boil.

6. Braise veal roll in middle of oven at 220 °C for about 60 minutes. From time to time add more stock and pour over roast.

Important Do not cover roast whilst braising, juice should be almost syrupy in the end.

SOLOTHURNER LEBERSPIESSE
BROCHETTES AU FOIE
LIVER SPITS FROM SOLOTHURN

400 g Kalbsleberschnitzel,
5 mm dick
100 g feine luftgetrocknete
Speckscheiben
Salbeiblättchen
natives Olivenöl extra
Pfeffer, Salz

1. Leberschnitzel in Längsrichtung in 2 cm breite Streifen schneiden, mit je einer Speckscheibe und je einem Salbeiblättchen belegen, aufrollen, auf Spießchen stecken.

2. Die Leberspießchen im heißen Öl rundum kurz braten. Würzen. Sofort servieren.

Tipp Mit Reis servieren.

400 g de tranches de foie de
veau, de 5 mm d'épaisseur
100 g de tranches de lard séché
à l'air
feuilles de sauge
huile d'olive vierge extra
poivre noir du moulin
sel

1. Couper les tranches de foie de veau dans le sens de la longueur, en bandes de 2 cm de largeur. Les recouvrir d'une tranche de lard et d'une feuille de sauge, les enrouler et les piquer sur une brochette.

2. Faire griller brièvement les brochettes de tous les côtés. Assaisonner et servir immédiatement.

Conseil Servir avec du riz.

400 g veal liver cutlets, 5 mm
thick
100 g thin air-dried bacon slices
sage leaves
extra virgin olive oil
pepper, salt

1. Cut liver cutlets lengthwise in 2 cm thick stripes, lie bacon slices and sage leaves on top, roll up and stick on a spit.

2. Fry liver spits all around in hot olive oil. Season. Serve immediately.

Tip Serve with rice.

KIRSCHENAUFLAUF
GRATIN DE CERISES
SWEET CHERRY DISH BACKED IN THE OVEN

für 2–3 Personen Hauptmahlzeit
für 4–6 Personen Dessert

100 g Brotwürfelchen ohne Rinde
200 ml heiße Milch
4 verquirlte Eier
50 g geriebene Mandeln
500 g entsteinte Kirschen
Zucker nach Belieben
Zimtpulver
2 EL gehackte Mandeln
30 g Butter

1. Den Backofen auf 200 °C vorheizen.

2. Die heiße Milch über die Brotwürfel gießen, die Milch gleich wieder abgießen.

3. Verquirlte Eier, Brot, Mandeln und Kirschen gut vermengen, mit Zucker und Zimt abschmecken. Die Auflaufmasse in eine eingefettete Gratinform füllen, die gehackten Mandeln darüber streuen, mit Butterflocken belegen.

4. Den Kirschenauflauf im unteren Drittel in den vorgeheizten Ofen schieben und bei 200 °C 30 Minuten backen. Nadelprobe machen. Sofort servieren.

Tipp Mit einer Vanillesauce servieren.

plat principal pour
2–3 personnes
dessert pour 4–6 personnes

100 g de dés de pain sans croûte
2 dl de lait chaud
4 œufs battus
50 g d'amandes moulues
500 g de cerises dénoyautées
sucre, quantité selon goût
½ cc de cannelle en poudre
2 cs d'amandes effilées
30 g de beurre en flocons

1. Préchauffer le four à 200 °C.

2. Verser le lait chaud sur les dés de pain. Les faire immédiatement égoutter et jeter le surplus de lait.

3. Mélanger les œufs, le pain, les amandes moulues et les cerises. Sucrer et ajouter la cannelle. Verser la masse dans un plat à gratin, saupoudrer d'amandes effilées et de flocons de beurre.

4. Faire cuire le gratin dans le tiers du bas du four, environ 30 minutes à 200 °C. Piquer avec une aiguille. Lorsqu'elle reste nette, le gratin est cuit.

Conseil Servir avec une sauce vanille.

Main meal for 2–3 persons
Dessert for 4–6 persons

100 g cubes of bread, without crust
200 ml milk, hot
4 eggs, whisked
50 g almonds, grated
500 g cherries, stoned
sugar, to taste
ground cinnamon
2 tbsp almonds, chopped
30 g butter

1. Preheat oven at 200 °C.

2. Pour hot milk over cubes of bread, pour off again immediately.

3. Mix egg mixture, bread, almonds and cherries, season with sugar and cinnamon. Fill mixture into backing dish, sprinkle with chopped almonds and butter flakes.

4. Back Kirschenauflauf in lower part of oven at 200 °C for around 30 minutes. Check with needle. Serve hot.

Tip Serve with vanilla sauce/custard.

BERN – BERNER OBERLAND

1 Berner Altstadt

2 Obersimmental

3 Engelhörner

4 Bauernhaus, Linden

5 Kirche von Ligerz

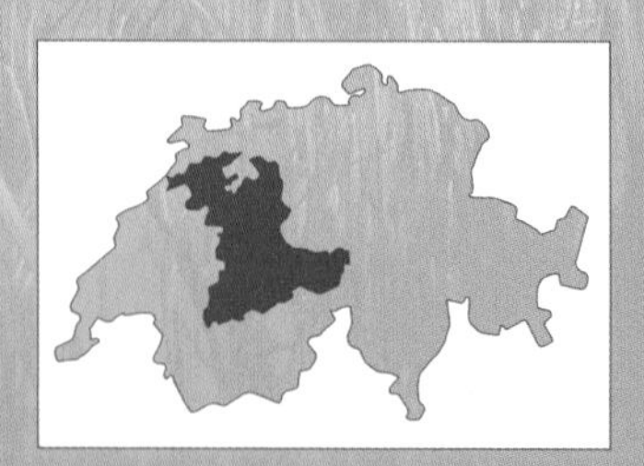

Die Hauptstadt der Schweiz ist Bern. Und die sie flankierenden Landschaften, das malerische Emmental, das Seeland und vor allem das Berner Oberland mit den majestätischen Gipfeln Eiger, Mönch und Jungfrau sind weltberühmt.

Auch die Region Bern ist ein Nebeneinander von ungleichen Landschaften: Das ausgedehnte Seeland mit viel Landwirtschaft und Ackerbau, das Emmental mit fruchtbaren Wiesen, Milch- und Alpwirtschaft und die unwirtlichen, aber weltbekannten Berge. Kulinarisch gibt es durchaus so etwas wie eine verbindende Esskultur, schon vom Berner Dichter Jeremias Gotthelf bildhaft beschrieben. Die Zwiebelsuppe und die Rösti sind im ganzen Kanton fest verankert, ebenso wie die Berner Platte, die fast als Synonym für opulente Gastfreundschaft gilt. Sie vereint Köstlichkeiten wie Rippchen und Speck, Siedfleisch und Würste, begleitet von Sauer- kraut, Bohnen und Kartoffeln. Aus dem Emmental kommt auch der weltberühmte Emmentaler Käse, ein gut gereifter Hartkäse. Die süßen Berner Waffeln mit den hübschen Reliefs verbinden wiederum alle Regionen.

La capitale de la Suisse est Berne. Ses paysages alentours, le pittoresque Emmental, le Seeland et, surtout l'Oberland avec ses sommets majestueux, l'Eiger, le Mönch et la Jungfrau, sont mondialement connus.

Ces régions bernoises sont aussi très différentes: le Seeland très étendu avec son agriculture et ses cultures maraîchères, l'Emmental avec ses prairies verdoyantes et sa culture alpestre et laitière et l'Oberland aux sommets arides et célèbres. Malgré ces différences, il existe une culture culinaire commune qui a déjà été décrite par l'écrivain bernois Jeremias Gotthelf (1797–1854). La soupe aux oignons et les rœstis sont profondément ancrés dans tout le canton, tout comme le «Plat bernois», synonyme d'hospitalité opulente. Il réunit tous les morceaux résultant de l'abattage des porcs tels lard, bouilli, saucissons, côtelettes, le tout accompagné de choucroute, haricots secs et pommes de terre. L'Emmental nous fournit évidemment son fameux fromage. Un fromage à pâte dure, bien mûr, aux grands trous caractéristiques.Parmi les douceurs qui réunissent toutes les régions, on connaît les gaufres bernoises, minces, cuites entre deux plaques chauffées leur imprimant un dessin plaisant des deux côtés.

Bern is the capital of Switzerland and the countryside surrounding it, such as the picturesque Emmental, the Seeland, not to forget the Bernese Oberland with its majestic summits Eiger, Mönch and Jungfrau , is world-renowned.

Also the region of Bern is a juxtaposition of odd landscapes: the extensive Seeland with lots of agriculture and farming, the Emmental with its fertile meadows, dairy and alpine farming, and the inhospitable but world-famous mountains. From a culinary point of view though there is definitely a joint gastronomic culture that has already been vividly described by the Bernese poet Jeremias Gotthelf. The Zwiebelsuppe and the Rösti are well anchored in the whole canton, together with the Berner Platte, which stands as a synonym for opulent hospitality. It unites all the delicacies that are produced when livestock is slaughtered such as smoked ribs, bacon, boiled meat and sausages accompanied by sauerkraut, beans and potatoes. From the Emmental also comes of course the world-famous Emmentaler cheese, a hard cheese, well ripened. The sweet dishes connect all the regions, such as the Berner Waffeln: a thin biscuit traditionally decorated on both sides with pretty relief.

BERNER ZWIEBELSUPPE
POTAGE BERNOIS AUX OIGNONS
BERNESE ONION SOUP

2 EL natives Olivenöl extra
3 große Zwiebeln,
in feinen Scheiben
1 Knoblauchzehe,
in feinen Scheiben
200 g Gemüse, z. B. Lauch,
Karotten, Knollensellerie,
klein gewürfelt
100 ml Weißwein
1 l Gemüsebrühe
300 ml Milch
1 Becher (180 g) Rahm/
süße Sahne
1 EL Reibkäse
Salz, Pfeffer

1–2 EL natives Olivenöl extra
1 große Zwiebel, in feinen
Ringen

1. Zwiebeln, Knoblauch und Gemüse im Öl andünsten, Weißwein, Gemüsebrühe und Milch zufügen, aufkochen und bei schwacher Hitze 20 bis 30 Minuten köcheln. Pürieren.

2. Für die Einlage Zwiebeln im Öl goldbraun braten, auf Küchenpapier trocken tupfen.

3. Zwiebelcremesuppe aufkochen, geschlagenen Rahm und Käse unterziehen. Würzen. Anrichten, mit den Zwiebelringen garnieren.

2 cs d'huile d'olive vierge extra
3 gros oignons, en fines
rondelles
1 gousse d'ail, en fines tranches
200 g de légumes,
p. ex. poireaux, carottes, céleri,
en brunoise
1 dl de vin blanc
1 l de bouillon de légumes
3 dl de lait
180 g de crème entière
1 cs de fromage râpé
sel, poivre

1–2 cs d'huile d'olive vierge
extra
1 grand oignon, en rondelles

1. Faire revenir l'oignon, l'ail et les légumes dans l'huile d'olive. Ajouter le vin blanc, le bouillon de légumes et le lait, porter à ébullition et faire mijoter durant 20 à 30 minutes. Mixer.

2. Pour décorer, faire frire de grandes rondelles d'oignons dans l'huile d'olive, les égoutter sur du papier de ménage.

3. Fouetter la crème.

4. Porter le potage à ébullition, incorporer la crème fouettée et aussi le fromage. Saler et poivrer. Verser dans des assiettes chaudes et décorer avec d'oignons.

1 tbsp extra virgin olive oil
3 large onions, finely sliced
into rings
1 clove of garlic, finely sliced
200 g vegetables, e.g. leek,
carrots, cellery, cut into small
cubes
100 ml dry white wine
1 l vegetable stock
300 ml milk
180 g cream
1 tbsp grated cheese
salt, pepper

1–2 extra vergine olive oil
1 large onion, in slices

1. Lightly braise onions, garlic and vegetables, add white wine, vegetable stock and milk, heat up, on low heat cook for 20 to 30 minutes. Purée.

2. To garnish, fry onions in olive oil and tab dry on kitchen roll.

3. Bring onion cream soup to the boil, fold in stiffly beaten cream and also cheese. Season. Serve in preheated cups or plates, garnish with onion rings.

KARTOFFELRÖSTI
RŒSTIS
GRATED FRIED POTATO CAKE

3 EL Bratbutter/Butterschmalz
1 mittelgroße Zwiebel,
fein gehackt
600 g gekochte Schalen-
kartoffeln vom Vortag,
vorwiegend fest kochende Sorte
Salz, Muskatnuss, Pfeffer
1 EL Bratbutter/Butterschmalz

1. Die Kartoffeln schälen und auf der Röstiraffel reiben, würzen.

2. Die Zwiebeln in der Bratbutter andünsten, Kartoffeln zufügen, mischen. Mit einem Holzlöffel immer wieder rühren, damit die Kartoffeln gleichmäßig angebraten werden. Jetzt einen großen Kuchen formen und bei mittlerer Hitze ein paar Minuten braten, wenden und die restliche Bratbutter an den Rand geben, bei mittlerer Hitze knusprig braten. Oder vorgebratene Kartoffeln in vier Portionen teilen und vier kleine Kuchen braten.

3 cs beurre à frire
1 oignon moyen haché fin
600 g de pommes de terre à
chair ferme, cuites à la vapeur,
la veille
sel, noix de muscade, poivre
1 cs beurre à frire

1. Peler les pommes de terre et les râper grossièrement. Assaisonner.

2. Faire revenir l'oignon dans le beurre, ajouter les pommes de terre râpées et les mélanger avec les oignons. Les retourner de temps en temps pour les faire rôtir régulièrement. Former une grande galette dans la poêle et la faire rôtir quelques minutes. La retourner sur une assiette. Pour faire rôtir l'autre face bien dorée, donner le reste du beurre dans la poêle et y faire glisser la galette. On peut également préparer 4 petites galettes.

3 tbsp butter
1 medium onion, finely chopped
600 g firm cooking potatoes
with skin
salt, nutmeg, pepper
1 tbsp butter

1. Cook potatoes with skin and leave for 1 day.

2. Peel potatoes, coarsely grate, season.

3. Lightly braise onions in cooking fat, add potatoes, mix. Keep stirring with wooden spoon, in order to fry the potatoes evenly. Form now a big cake, and fry on medium heat for few minutes, turn, add rest of butter around edge, fry on medium heat until crispy. Or separate the prefried potatoes in 4 portions and fry in 4 small cakes.

EMMENTALER LAMMVORESSEN
BLANQUETTE D'AGNEAU D'EMMENTAL
LAMB DISH FROM EMMENTAL

700 g Ragout vom Lamm
400 ml Fleischbrühe
2 Lorbeerblätter, 3 Nelken
2 kleine Zwiebeln, halbiert
2 Karotten, geschält, längs halbiert
2–3 EL Mehl
150 ml Weißwein
Salz, Pfeffer, Safran, Muskatnuss
100 g Rahm/süße Sahne
20 g Butter
1 Eigelb

1. Fleischbrühe erhitzen, Fleisch, Lorbeerblätter, Nelken, Zwiebeln und Karotten zufügen, aufkochen, bei schwacher Hitze 60 bis 70 Minuten kochen, in ein Sieb abgießen, die Brühe auffangen.

2. Die Brühe in die Pfanne zurückgießen, das Mehl mit dem Wein glattrühren, zufügen, unter Rühren sämig einkochen lassen, würzen.

3. Fleisch, Zwiebeln sowie Karotten zufügen, aufkochen. Rahm, Butter und Eigelb unterrühren, erhitzen, nicht mehr kochen.

Tipp Mit Kartoffelstock/-püree servieren.

700 g de ragoût d'agneau
4 dl de bouillon de légumes
2 feuilles de laurier
3 clous de girofle
2 petits oignons coupés en deux
2 carottes pelées, coupées dans le sens de la longueur
2–3 cs de farine
1,5 dl de vin blanc
sel, poivre, safran
noix de muscade
100 g de crème entière
20 g de beurre
1 jaune d'œuf

1. Porter le bouillon de légumes à ébullition et ajouter la viande, les feuilles de laurier, les clous de girofle, les oignons et les carottes. Faire mijoter 60 à 70 minutes. Passer et récupérer le jus.

2. Verser le jus dans la casserole et y ajouter la farine mélangée au vin blanc. Réduire en remuant et assaisonner. Ajouter la viande, les carottes et les oignons. Chauffer et ajouter la crème, le beurre et le jaune d'œuf. Ne plus faire cuire.

Conseil Servir avec de la purée de pommes de terre.

700 g lamb ragout
400 ml meat stock
2 bay leaves, 3 cloves
2 small onions, halved
2 carrots, peeled, halved lengthwise
2–3 tbsp flour
150 ml white wine
salt, pepper, saffron, nutmeg
100 g cream
20 g butter
1 egg yolk

1. Heat up meat stock, add lamb ragout, bay leaves, cloves, peeled onions, carrots, bring to the boil, cook on low heat for 60 to 70 minutes, drain off liquid, collect stock.

2. Pour stock back into pan, add flour blended with white wine, reduce until creamy, season. Add meat, onions and carrots, heat up. Stir in cream, butter and egg yolk. Do not boil

Tip Serve with mashed potatoes.

BERNER PLATTE
PLAT BERNOIS
BERNESE PLATTER

für 6–8 Personen

2,5 l Wasser
1 besteckte Zwiebel (Loorbeerblatt, Nelken)
1 Karotte, in Scheiben
¼ Knollensellerie, gewürfelt
1–2 EL Salz
1 kleine Rindszunge (1 kg), über Nacht in Wasser eingelegt
500 g Suppenfleisch vom Rind

Bohnen, Speck, Zungenwurst
1 EL natives Olivenöl extra
1 Zwiebel, fein gehackt
200 g Dörrbohnen, über Nacht in Wasser einweicht
250 g geräucherter Speck
½ l Fleischbrühe
1 kleine Zungenwurst

1. Wasser mit Gemüse und Salz aufkochen, Rindszunge und Rindfleisch zufügen, etwa 90 Minuten bei schwacher Hitze kochen lassen.

2. Zwiebeln im Olivenöl andünsten, abgetropfte Bohnen zufügen, mitdünsten. Speck und ½ l Brühe aus dem Fleischtopf zufügen, bei schwacher Hitze 50 Minuten köcheln. Die Zungenwurst zufügen, nochmals 30 Minuten köcheln lassen.

3. Rindszunge schälen und in Scheiben schneiden, Suppenfleisch, Speck und Wurst ebenfalls in Scheiben schneiden, mit den Dörrbohnen anrichten.

Tipp Mit Dampf- oder Salzkartoffeln servieren.

pour 6–8 personnes

2,5 l d'eau
1 oignon avec feuille de laurier et clous de girofle
1 carotte en rondelles
¼ de céleri en petits cubes
1 à 2 cc de sel
1 petite langue de bœuf crue (1 kg), mettre tremper durant la nuit
500 g de bœuf pour pot-au-feu

haricots, lard et saucisson
1 cs d'huile d'olive vierge extra
1 oignon haché fin
200 g de haricots verts secs, trempés dans l'eau durant la nuit
250 g de lard fumé
½ l de bouillon de viande
1 petit saucisson à cuire

1. Porter à ébullition l'eau, les légumes et le sel, ajouter la langue et la viande. Faire mijoter 1½ heure.

2. Faire revenir les oignons dans l'huile d'olive dans une casserole, ajouter les haricots secs égouttés, faire revenir encore. Ajouter le lard et 5 dl de bouillon. Faire mijoter 50 minutes. Ajouter le saucisson, faire mijoter encore 30 minutes.

3. Peler la langue de bœuf et la couper en tranches, de même que le lard, le saucisson et le bouilli.

Conseil Servir avec des pommes de terre à la vapeur ou à l'eau.

for 6–8 persons

2,5 l water
1 garnished onion (bay leaf, clove)
1 carrot, in slices
¼ cellery, cubed
1–2 tbsp salt
1 small beef tongue (1 kg), soaked in water over night
500 g Beef Stewing Steak

Haricots, bacon, tongue sausage
1 tbsp extra virgin olive oil
1 onion, finely chopped
200 g dried haricots, soaked over night
250 g smoked bacon
½ l meat stock
1 tongue sausage

1. Bring water, vegetables and salt to the boil, add beef tongue and stewing steak, cook on low heat for 1½ hours.

2. For dried haricots, lightly braise onions in olive oil, add drained haricots, lightly braise. Add bacon and ½ l stock out of stew pot, simmer on low heat for 50 minutes. Add tongue sausage, cook for another 30 minutes.

3. Peel tongue and cut in slices, also cut beef, bacon and tongue sausage into slices, serve with dried haricots.

Tip Serve with boiled or fried potatoes.

MERINGUES MIT ERDBEEREN
MERINGUES CHANTILLY AUX FRAISES
MERINGUES WITH STRAWBERRIES

Meringues
4 Eiweiß
200 g Zucker

Füllung
400 g Erdbeeren
1–2 EL Zucker
300 g Schlagrahm/süße Sahne

1. Das Eiweiß zu leichtem Schnee schlagen, mit Küchenmaschine oder Handmixer. Den Zucker einrieseln lassen, etwa 10 Minuten weiterrühren.

2. Den Backofen auf 100 °C vorheizen.

3. Eischnee in einen Spritzbeuel mit großer, flacher Tülle füllen und beliebige Formen auf ein mit Backpapier belegtes Blech spritzen.

4. Die Meringues im vorgeheizten Backofen bei 100 °C und bei leicht geöffneter Backofentür (einen Holzlöffel einklemmen) rund 1 Stunde trocknen lassen.

5. Erdbeeren je nach Größe ganz lassen, halbieren oder vierteln. Den Zucker darüber streuen, 15 Minuten marinieren.

6. Meringues mit dem steif geschlagenen Rahm und den Erdbeeren füllen.

meringues
4 blancs d'œuf
200 g de sucre

farce
400 g de fraises
1–2 cs de sucre
3 dl de crème fouettée

1. Battre les blancs d'œufs en neige, ajouter le sucre en pluie, battre encore 10 minutes (au mixer).

2. Préchauffer le four à 100 °C.

3. Verser la neige dans un sac à douille (muni d'une douille plate) et presser des formes selon goût sur une plaque à gâteau recouverte de papier sulfurisé.

4. Faire cuire les meringues dans le four, 60 minutes à 100 °C, la porte du four entrouverte (y coincer une cuiller en bois).

5. Couper les fraises selon la taille et les poudrer de sucre. Laisser reposer 15 minutes.

6. Sur les assiettes, disposer les coques de meringue, garnir avec les fraises et la crème fouettée.

Meringues
4 egg whites
200 g sugar

Filling
400 g strawberries
1–2 tbsp sugar
300 g whipped cream

1. Beat the egg whites until fluffy, using an electric mixer. Slowly add sugar and beat for another 10 minutes.

2. Preheat oven to 100 °C.

3. Fill the beaten egg white in a piping bag with big, flat spout and pipe desired shape onto baking paper on baking tray.

4. Leave meringues to dry in preheated oven at 100 °C and slightly open door (clamp wooden spoon) for approx. 1 hour.

5. Depending on size, leave strawberries whole, half or quarter them. Sprinkle with sugar, marinate for 15 minutes.

6. Fill meringues with whipped cream and strawberries.

WALLIS – VALAIS

1 Matterhorn

2 Val Ferret

3 Brig-Visp-Zermatt-Bahn

4 Lötschental

5 Visperterminen

Auch das Wallis gehört zur Südschweiz. Es ist mit dem weiten Rhonetal und den zahlreichen Seitentälern eines der wärmsten, aber auch niederschlagsärmsten Gebiete der Schweiz. Der legendäre Kurort Zermatt mit dem Matterhorn ist weltberühmt.

Doch das Wallis hat noch mehr Trümpfe. Es gibt eine ganz Anzahl schneesicherer Wintersportstationen. Und im Sommer auch für Wanderer und Bergsteiger attraktive Ziele. Unweit der Alpweiden wird Raclettekäse aus würziger Kuhmilch hergestellt. Traditionellerweise wird der ganze Laib über das Holzfeuer gehalten und der jeweils geschmolzene Käse mit einen Spachtel abgeschabt. Mit gekochten Schalenkartoffeln und pikanten Beilagen serviert, ist und bleibt das Walliser Raclette der romantische Alphütten-Imbiss. Das klimatisch verwöhnte Rhonetal gilt als äußerst fruchtbarer Landstrich, wo an sonnenexponierten Hängen erfolgreich Wein angebaut wird und ertragsreiche Gemüse- und Obstkulturen gedeihen. Im Frühjahr wird hier der erste Spargeln und im Sommer die ersten Aprikosen und Tomaten geerntet.

Du point de vue climatique, le Valais fait également partie de la Suisse méridionale. Avec la large vallée du Rhône et ses nombreuses vallées latérales, cette région l'est une des plus chaudes et des plus pauvres en précipitations de Suisse. Et, avec pour cerise sur le gâteau, Zermatt avec le Matterhorn sont mondialement connu.

Mais le Valais cache bien d'autres atouts encore. Nombreuses sont les stations bien enneigées pour les sports d'hiver. En été, les randonneurs et alpinistes peuvent s'en donner à cœur joie. Sur les alpages, on produit le fromage à raclette à partir de lait de vache non écrémé. Pour la raclette originale, la moitié d'une meule de fromage est placée devant un feu de bois ou de la braise. Une fois le dessus du fromage fondu, il est raclé sur l'assiette. Servi avec des pommes en robe des champs et quelques cornichons, la raclette reste le plat typique des cabanes de montagne valaisannes. La vallée du Rhône est gâtée par le climat. Dans cette région fertile, on cultive avec grand succès d'excellents vins sur les coteaux exposés au soleil. Dans la vallée, les cultures maraîchères et de fruits s'étendent à perte de vue. Au printemps, on y récolte les premières asperges et les fraises qui laissent la place, en été, aux abricots et aux tomates.

Also part of southern Switzerland is the Valais, with the valley of the river Rhone and its numerous side valleys, one of the warmest and driest areas of Switzerland. And the legendary health resort of Zermatt with the world-famous Matterhorn!

These are not the only trumps though! There are still many more winter sport stations where snow is assured in winter and offer an attractive destination for hiking and mountain climbing in summer. The Raclette cheese made out of full-fat cow milk is melted on the open fire and scraped of the cheese loaf and is produced here on the alpine pastures. Served with jacket potatoes and spicy side dishes, Raclette of the Valais is and will remain the romantic alpine hut snack. The valley of the river Rhone is spoilt with its climate and is an extremely fertile area that successfully cultivates wine, extra rich vegetables and fruit on its sunny banks. In spring, the first asparagus, and in summer, the first apricots and tomatoes are harvested.

KARTOFFELGRATIN MIT TOMATEN
GRATIN DE POMMES DE TERRE ET DE TOMATES
POTATO-TOMATO BAKE

600–800 g fest kochende Kartoffeln
4–6 geschälte Tomaten
2 mittelgroße Zwiebeln, fein gehackt
1 Bund Majoran, Blättchen gehackt
Salz, Pfeffer
300 ml Gemüsebrühe
200 ml Weißwein
100 g reifer Walliser Käse

1. Kartoffeln schälen und klein würfeln. Bei den Tomaten Stielansatz entfernen, in Schnitze schneiden.

2. Den Backofen auf 200 °C vorheizen.

3. Die Gratinform einfetten. Zuerst die Zwiebeln, dann die Kartoffeln in die Form verteilen, mit Majoran, Salz und Pfeffer würzen. Mit den Tomaten belegen, nochmals würzen. Gemüsebrühe und Weißwein darüber gießen.

4. Gratin in der Mitte in den Backofen schieben, bei 200 °C 40 Minuten backen. Den Walliser Käse auf der Röstiraffel reiben, 10 Minuten vor Ende der Backzeit über das Gratin streuen.

600 à 800 g de pommes de terre à chair ferme
4 tomates pelées
2 oignons moyens, hachés fin
1 bouquet de marjolaine, feuilles hachées
sel, poivre noir du moulin
3 dl de bouillon de légumes
2 dl de vin blanc
100 g de fromage salé du Valais

1. Peler les pommes de terre, les couper en dés. Débiter les tomates en quartiers.

2. Préchauffer le four à 200 °C.

3. Bien graisser un plat à gratin. Disposer les oignons, puis les pommes de terre dans le plat, saupoudrer de marjolaine. Saler et poivrer. Recouvrir avec les quartiers de tomates, les assaisonner, puis ajouter le bouillon et le vin blanc.

4. Faire cuire le gratin de pommes de terre au milieu du four, 40 minutes à 200 °C. Râper grossièrement le fromage et en parsemer le gratin après 30 minutes de cuisson.

600–800 g firm cooking potatoes
4 peeled fresh tomatoes
2 medium sized onions, finely chopped
1 bunch chopped majoram
salt, pepper for seasoning
300 ml vegetable stock
200 ml white wine
100 g ripe cheese from Valais

1. Peel potatoes and cut them into small cubes. Remove stem from tomatoes, cut into slices.

2. Preheat oven at 200 °C.

3. Grease baking dish well. Layer all onions then potatoes into dish, season with salt, marjoram0 and pepper. Cover with tomatoes, season again. Pour over with vegetable stock and white wine.

4. Put bake in middle of oven, bake for 40 minutes at 200 °C. Grate cheese coarsely and sprinkle over bake about 10 minutes before end of baking time.

LÖTSCHENTALER KÄSEKÜCHLEIN
GALETTES AU FROMAGE DU LÖTSCHENTAL
CHEESE CAKES FROM LÖTSCHENTAL

400 g Alpkäse
2 EL scharfer Senf
2 EL Mehl

Teig
2 Eier
50 – 100 ml Milch
100 g Weißmehl
1 Prise Kräutersalz
Thymianblättchen
1 Bund Schnittlauch, fein geschnitten

Rapsöl

1. Für den Teig die Eier mit der Milch verquirlen, Mehl und Kräutersalz unterrühren. Den Teig 30 Minuten zugedeckt quellen lassen. Kräuter unterrühren.

2. Alpkäse in 3 bis 5 mm dicke Scheiben schneiden, dünn mit Senf bestreichen, mit Mehl bestäuben.

3. In einer Bratpfanne wenig Rapsöl erhitzen. Käsescheiben durch den Teig ziehen, im Öl bei mittlerer Hitze beidseitig braten.

Tipp Mit einem Lauchgemüse servieren. 2 Esslöffel Rosinen mit 100 ml kochendem Weißwein übergießen, rund 5 Minuten quellen lassen. Den Lauch putzen und längs aufschneiden, in feine Streifen schneiden. Lauch in einem Esslöffel Butter andünsten, die Rosinen mit dem Weißwein zufügen, Gemüse knackig dünsten, mit Kräutersalz und Pfeffer würzen.

400 g de fromage d'alpage
2 cs de moutarde forte
2 cs de farine

pâte
2 œufs
½–1 dl de lait
100 g de farine blanche
1 pc de sel aromatisé
feuilles de thym
1 botte de ciboulette finement ciselée

huile pour frire

1. Pour la pâte, battre les œufs et le lait et incorporer la farine et le sel. Laisser reposer durant 30 minutes à couvert. Ajouter les fines herbes.

2. Débiter le fromage d'alpage en tranches de 3 mm à 5 mm d'épaisseur. Tremper les tranches dans la pâte et les faire frire des deux côtés dans l'huile chaude.

Conseil Servir avec des poireaux par exemple. Verser 1 dl de vin blanc bouillant sur 2 cs de raisins secs. Laisser gonfler 5 minutes. Laver les poireaux et les couper en lanières. Faire revenir le légume dans de l'huile d'olive vierge extra. Ajouter les raisins, saler et poivrer.

400 g alpine cheese
2 tbsp hot mustard
2 tbsp flour

Batter
2 eggs
50 – 100 ml milk
100 g white flour
1 pinch herbal salt
fresh thyme
1 bunch chives, finely cut

rape seed oil

1. For batter, whisk eggs with milk, mix in white flour and herbal salt. Leave to rise for 30 minutes, covered. Mix in herbs.

2. Cut the alpine cheese in 3 to 5 mm thick slices, coat thinly with mustard and dust with flour.

3. Heat oil in frying pan. Pull cheese slices through batter, fry on both sides on medium heat.

Tip Serve with leek. Pour 100 ml boiling white wine over 2 tbsp raisins, leave to swell for 5 minutes. Clean leek and cut lengthwise in strips. Lightly braise leek in olive oil, add raisins and white wine, braise lightly until crunchy, season with herbal salt and pepper.

APRIKOSEN AN WEINSCHAUMSAUCE
ABRICOTS AVEC MOUSSE AU VIN BLANC
APRICOTS ON WHITE WINE MOUSSE

1 kg sonnengereifte Aprikosen
½ l Wasser
3 EL Zucker
½ Vanilleschote

Weinschaumsauce
200 ml Malvoisie/ weißer Dessertwein
2 Eier, 1 Eigelb
2 EL Zucker

1. Wasser, Zucker und die aufgeschlitzte Vanilleschote in einem weiten Kochtopf bei starker Hitze sirup-artig einkochen lassen,
das Vanillemark abstreifen, zum Fond geben.

2. Aprikosen halbieren und entsteinen, Stielansatz wegschneiden, Aprikosen nebeneinander in den Sirup legen, bei schwacher Hitze pochieren, d. h. knapp weich kochen. Die Früchte im Sirup erkalten lassen.

3. Malvoisie, Eier, Eigelb und Zucker in eine Schüssel geben, über dem heißen Wasserbad (Pfanne nur mit soviel Wasser füllen, dass
die Schüssel nicht mit dem Wasser in Kontakt kommt) mit dem Schneebesen zu einer schaumigen Masse aufschlagen.

4. Aprikosen anrichten und mit der Weinschaumsauce umgießen.

1 kg d'abricots bien mûrs
½ l d'eau
3 cs de sucre
½ gousse de vanille

mousse au vin blanc
2 dl de malvoisie (ou autre vin blanc de dessert)
2 œufs et 1 jaune d'œuf
2 cs de sucre

1. Dans une grande marmite, porter à ébullition l'eau, le sucre et la gousse de vanille coupée dans le sens de la longueur. A feu vif, faire évaporer l'eau pour obtenir un liquide sirupeux. Gratter la moelle
de la gousse de vanille dans le liquide et éliminer la gousse.

2. Couper les abricots en deux et retirer le noyau. Placer les abricots l'un à côté de l'autre dans le sirop. Les pocher à feux doux. Ils doivent rester fermes. Laisser refroidir les fruits dans le sirop.

3. Verser le malvoisie, les œufs, le jaune et le sucre dans une jatte et battre au fouet, dans un bain-marie, jusqu'à obtention d'une mousse.

4. Disposer les abricots sur les assiettes et les napper de mousse au vin.

1 kg sun ripe apricots
½ l water
3 tbsp sugar
½ vanilla pod

White wine mousse
200 ml Malvoisie / white dessert wine
2 eggs, 1 egg yolk
2 tbsp sugar

1. Reduce water, sugar and opened vanilla pod on high heat in wide sauce pan, to syrup consistency, scrap out pulp of vanilla pod and add to juice.

2. Halve apricots, remove stones, cut off stem base, lie apricots next to each other in syrup, poach on low heat, i.e. nearly soft consistency. Cool.

3. Give Malvoisie, eggs, egg yolk and sugar into bowl, whisk to foamy consistency in bain-marie (only fill pan up with water up to a level that bowl does not get in contact with water).

4. Serve poached apricots surrounded with white wine mousse.

ROMANDIE – WESTSCHWEIZ

Fribourg, Jura, Neuchâtel, Vaud, Genève

1 2

3 4

1 St. Aubin (Neuchâtel)

2 Lac Léman (Vaud)

3 Saignelégier, Jura

4 Genève

5 Fribourg

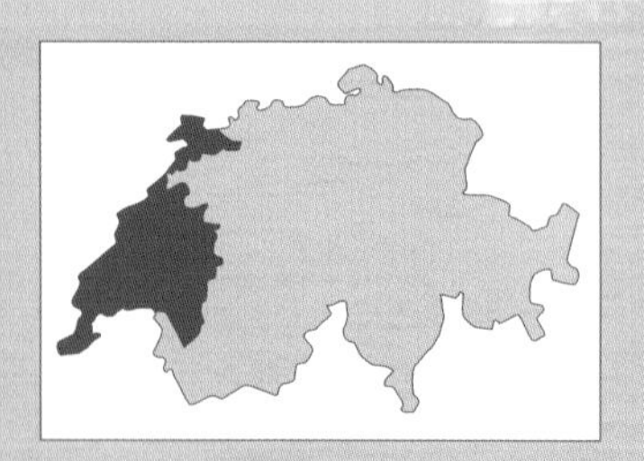

5

Die Ufer des Genfersees, gesäumt von Weinbergen, welche die Hänge überziehen – eines von vielen pittoresken Bildern der Romandie. Und im Westen befinden sich die langen Juragüge, wo nicht nur Rinder, sondern auch Pferde weiden.

Der kulinarische Fundus der Westschweiz, der französisch sprechenden Schweiz, spiegelt die seit Generationen überlieferte Kochtradition: Gerichte, für die Gemüse, Käse, Fleisch, Fisch und natürlich Wein, der oft vor der Haustür wächst, verwendet werden. Die Gratins haben den Romands immer schon geschmeckt, und zur Hochform sind sie buchstäblich mit dem Ramequin aufgelaufen. Das berühmteste Käsegericht der Romandie dürfte indes das Fondue sein, für welches Käse verschiedener Sorten in einem Pfännchen über offener Flamme mit Wein zum Verschmelzen gebracht und mit Brotstücken aufgetunkt wird. Ein eigentlich einfacher, aber absolut außergewöhnlicher Genuss! Nicht vergessen darf man auch den Papet Vaudois, ein Eintopf mit Saucissons, würzigen Siedewürsten, Lauch und Kartoffeln Oder das Neuenburger Zanderfilet, das von einer delikaten Weinsauce begleitet wird.

Les côtes du lac Léman, couvertes de vignoble, sont une des images pittoresques de la Romandie. Le nord-ouest est délimité par la chaîne du Jura avec ses pâturages pour les bovins et les chevaux.

Le fond culinaire de la partie française de la Suisse reflète la tradition séculaire de la cuisine transmise de génération en génération: des mets composés de légumes, de fromage, de viande et de poisson. Et de vin bien sûr, puisqu'il se cultive devant la porte. Les gratins sont des plats favoris depuis longtemps, dépassés encore par les ramequins aux compositions diverses. Le plat romand au fromage le plus célèbre est certainement la fondue. Une préparation à base de fromages de diverses régions et de vin blanc, fondus dans un caquelon sur la flamme. Chacun trempe son pain dans la fondue et savoure. Simple en fait, mais tout un art – et quel délice! N'oublions pas le papet vaudois, une préparation de poireaux accompagnée du traditionnel saucisson et de pommes de terre ou les filets de sandre à la neuchâteloise avec une sauce au vin blanc raffinée.

One of the many picturesque sceneries of the Romandie are the banks of the lake of Geneva, lined with vineyards covering the slopes. In the west, the long mountain ranges of the Jura where not only cows but also horses graze.

The culinary fund of Eastern Switzerland, which is the French speaking part of Switzerland, reflects also here the cooking traditions handed down over generations: dishes for which vegetables, cheese, meat, fish and of course wine, which often grows on the doorstep, are used. Gratins (oven browned dishes) have always been the taste of the Romand, and to bring it to a climax, they have literally made it rise with the Ramequins, a savoury oven baked dish in single portions, with various ingredients, always baked in the oven. The most famous cheese dish of the Romand has to be the Fondue, in which different types of cheese are melted with wine in a little pan over an open flame, then bread is dipped into the mixture. An very simple, but definitely out of the ordinary delight! One should also not forget the Papet Vaudois, spicy sausages served with leek and potatoes, to which a little bit of wine is added, or the Pike-perch fillet from Neuchâtel, accompanied by a delicate wine sauce.

CRÈME DE POIREAUX
LAUCHCREMESUPPE
LEEK SOUP

250 g Lauch
1–2 EL natives Olivenöl extra
600 ml Gemüsebrühe
150 ml Weißwein
1 Lorbeerblatt
Estragon, Salz, Pfeffer
100 g Rahm/süße Sahne
Estragon für die Garnitur

1. Den Lauch putzen und in Streifen schneiden, im Öl gut andünsten. Mit Gemüsebrühe und Wein ablöschen, erhitzen. Lorbeerblatt zufügen, gut würzen, bei schwacher Hitze 30 Minuten kochen.

2. Das Lorbeerblatt entfernen. Die Lauchsuppe fein pürieren, eventuell durch ein Sieb streichen. Nochmals aufkochen, nach Belieben mit Mehlbutter (gleiche Menge Butter und Mehl verkneten) binden, die man krümelig zur Suppe reibt. Abschmecken.

3. Die Lauchsuppe in vorgewärmten Tellern oder Tassen anrichten. Mit einem Schlagrahmhäubchen und Estragonblättchen garnieren.

250 g de poireaux
1–2 cs d'huile d'olive vierge extra
6 dl de bouillon de légumes
1,5 dl de vin blanc
1 feuille de laurier
estragon, sel, poivre
1 dl de crème entière
feuilles d'estragon pour la décoration

1. Nettoyer les poireaux, les couper en fines lanières et les faire revenir dans l'huile d'olive. Ajouter le vin blanc et le bouillon de légumes et porter à ébullition. Ajouter le laurier et faire mijoter durant 30 minutes.

2. Retirer la feuille de laurier. Mixer le potage, éventuellement le passer. Le porter à ébullition, le lier, selon goût, avec une boule de beurre manié que l'on effrite dans le potage en remuant. Corriger l'assaisonnement.

3. Servir le crème de poireaux dans des assiettes ou des tasses chaudes; décorer avec une portion de crème fouettée et des feuilles d'estragon.

250 g leeks
1–2 tbsp extra virgin olive oil
600 ml vegetable stock
150 ml white wine
1 bay leaf
tarragon, salt, pepper
100 g cream
tarragon to garnish

1. Clean leeks and cut into strips, lightly braise in olive oil. Pour in vegetable stock and white wine, bring to the boil. Add bay leaf, season, simmer for 30 minutes on low heat.

2. Remove bay leaf. Mash leek soup, if needed press through a sieve. Heat up once again, if desired bind with flour/butter (same quantity of butter and flour kneaded together) that one crumbles into soup. Season.

3. Serve leek soup in preheated plates or cups. Garnish with a knob of whipped cream and tarragon leaves.

FONDUE MOITIÉ-MOITIÉ

FONDUE HALF AND HALF

600 g Baguette/Pariserbrot

1 Knoblauchzehe
300 ml Weißwein
1 EL Maisstärke
300 g reifer Gruyère
300 g Freiburger Vacherin
1 Knoblauchzehe
1 kleines Glas Kirsch (30 ml)
Pfeffer

1. Baguettes in nicht zu kleine Würfel schneiden. Knob lauchzehen schälen, davon die eine halbieren, die andere fein hacken. Käse auf der Röstiraffel reiben. Die Maisstärke mit dem Kirsch glatt rühren.

2. Boden des Caquelon mit den halbierten Knoblauchzehen einreiben. Weißwein zufügen und erhitzen. Käse und fein gehackten Knoblauch zufügen, die Käsemischung unter Rühren bei mittlerer Hitze langsam schmelzen, Den Kirsch zufügen, weiterrühren, bis das Fondue eine sämige Konsistenz ist. Mit Pfeffer abschmecken.

3. Servieren: Das Fondue am Tisch auf einem Rechaud köcheln lassen. Damit die Kruste nicht anbrennt und bitter wird, mit den eingetauchten Brotwürfeln auch auf dem Pfannenboden rühren.

600 g de pain mi-blanc

2 gousses d'ail
3 dl de vin blanc
1 cs d'amidon de maïs
300 g de gruyère salé
300 g de vacherin fribourgeois
3 cs de kirsch
poivre noir du moulin

1. Couper le pain mi-blanc en tranches de 2 cm d'épaisseur. Peler l'ail. Râper grossièrement le fromage. Dans un verre, verser le kirsch sur l'amidon de maïs et bien remuer.

2. Bien frotter l'intérieur du caquelon avec une gousse d'ail puis hacher grossièrement les gousses d'ail. Verser le vin dans le caquelon et le porter à ébullition. Ajouter l'ail et le fromage et remuer pour le faire fondre. Ajouter le kirsch et l'amidon de maïs et remuer encore jusqu'à obtention d'une fondue homogène. Poivrer.

3. Pour servir, placer le caquelon sur un réchaud pour faire mijoter constamment la fondue. Les convives cassent leurs morceaux de pain et les trempent dans la fondue en remuant aussi le fond du caquelon (pour éviter que le fromage brûle au fond).

600 g half white bread

2 cloves of garlic
300 ml white wine
1 tbsp cornflour
300 g ripe Gruyère cheese
300 g Vacherin cheese from Fribourg
1 small glass (30 ml) of kirsch
freshly ground pepper

1. Cut half white bread into 2 cm thick slices. Peel cloves of garlic. Coarsely grate cheese. Pour kirsch and maize into glass and dilute.

2. Rub out well inside of Caquelon with one clove of garlic. Coarsely chop cloves of garlic. Bring white wine to the boil in Caquelon. Add garlic and cheese, melt cheese stirring continuously. Add kirsch/cornflour and stir until Fondue is homogeneous. Season with pepper.

3. Serve: Fondue simmering on Rechaud on table. Everyone breaks of a piece of bread and dips it into the Fondue. Whilst doing so, one should stir also on the base of the caquelon to avoid it burning.

PAPET VAUDOIS
LAUCHEINTOPF
LEEK STEW WITH SAUSAGE

2 EL natives Olivenöl extra
800 g Lauch
500 g fest kochende Kartoffeln
100 ml Weißwein
150 ml Gemüsebrühe
Salz, Pfeffer
ca. 600 g Waadtländer Saucisson oder andere Brühwürste

1. Den Lauch putzen, je nach Größe längs halbieren, in 3 cm lange Stücke schneiden. Die Kartoffeln schälen und in 2 cm große Würfel schneiden.

2. Den Lauch im Olivenöl unter Rühren ein paar Minuten dünsten. Kartoffeln zufügen, mit dem Weißwein und der Gemüsebrühe ablöschen, etwa 10 Minuten köcheln lassen, würzen. Saucissons auf den Lauch und die Kartoffeln legen, den Eintopf bei schwacher Hitze 30 Minuten zugedeckt kochen.

2 cs d'huile d'olive vierge extra
800 g de poireaux
500 g de pommes de terre à chair ferme
1 dl de vin blanc
1,5 dl de bouillon de légumes
sel, poivre du moulin
environ 600 g de saucisson vaudois (ou autre saucisson à cuire)

1. Nettoyer les poireaux, selon la grandeur, les couper en deux dans le sens de la longueur, puis en tronçons de 3 cm. Peler les pommes de terre et les débiter en cubes de 2 cm.

2. Faire revenir les poireaux quelques minutes dans l'huile. Ajouter les pommes de terre, le vin blanc, puis le bouillon de légumes, faire mijoter durant 10 minutes. Assaisonner. Puis déposer le saucisson sur les légumes et faire mijoter durant 30 minutes à couvert.

2 tbsp extra virgin olive oil
800 g leeks
500 g firm cooking potatoes
100 ml white wine
150 ml vegetable stock
salt, pepper
approx. 600 g sausage de Waadtland or other sausage for boiling

1. Clean leeks, then half if necessary, cut into pieces 3 cm in length. Peel potatoes cut into 2 cm cubes.

2. Lightly braise leeks in olive oil for few minutes whilst stirring. Add potatoes, pour on white wine and vegetable stock, simmer for 10 minutes, season. Lie sausages on top and simmer, covered on low heat for 30 minutes.

TARTE AU RAISINÉ
TRAUBENSAFTKUCHEN
WHITE GRAPE JUICE CAKE

für ein hohe Form
von 28–30 cm Ø

400 g geriebener Teig
oder Kuchenteig

1 Liter weißer Traubensaft
150 ml Milch
1 Becher (180 g) Rahm/
süße Sahne
2–3 EL Mehl
1 EL Butter
2 Eier, verquirlt
1 EL Zucker

1. Den Teig auf Formgröße ausrollen, in die mit Butter eingefettete Form legen. Kühl stellen.

2. Den Traubensaft auf etwa 150 ml einkochen lassen, beiseite stellen.

3. Milch, Rahm und Mehl in einer Pfanne glatt rühren, unter Rühren erhitzen, Butter unterrühren, auskühlen lassen.

4. Eingedickter Traubensaft zusammen mit Eiern und Zucker unter die Milch-Rahm-Flüssigkeit rühren, auf den Teigboden gießen.

5. Tarte au raisiné in der Mitte in den auf 200 °C vorgeheizten Backofen schieben, 35 bis 40 Minuten backen.

pour une plaque
de 28 – 32 cm Ø

400 g de pâte brisée

1 litre de jus de raisin blanc
1,5 dl de lait
180 g de crème entière
2–3 cs de farine
1 cs de beurre
2 œufs battus
1 cs de sucre

1. Abaisser la pâte à la grandeur nécessaire, la déposer sur la plaque graissée. Mettre au frais.

2. Pour le raisiné, faire réduire le jus de raisin à 150 ml et le mettre de côté.

3. Bien remuer le lait, la crème et la farine dans une casserole et faire chauffer en continuant de remuer. Ajouter le beurre, remuer, puis laisser refroidir.

4. Préchauffer le four à 200 °C. Incorporer le raisiné au mélange lait, crème, farine et beurre et même temps que les œufs et le sucre. Verser la masse sur la pâte.

5. Faire cuire la tarte au milieu du four, 30 à 40 minutes à 200 °C.

For a high cake tin
of 28 – 30 cm Ø

400 g short crust pastry or cake pastry (Kuchenteig)

1 l white grape juice
150 ml milk
1 tub (180 g) cream
2–3 tbsp flour
1 tbsp butter
2 eggs, whisked
1 tbsp sugar

1. Roll out pastry to fit to size and lie out in buttered cake tin. Keep cool.

2. Reduce grape juice to 150 ml, set aside.

3. Heat milk, cream and flour to smooth paste, stirring constantly. Stir in butter and cool.

4. Stir in grape juice, eggs and sugar into milk and cream mixture, pour onto pastry.

5. Bake in preheated oven at 200 °C for 35 to 40 minutes.

Wo nicht anders vermerkt, sind die Rezepte für 4 Personen berechnet.
Sans autres indications, les recettes sont conçuses pour 4 personnes.
The recipes are for 4 persons, unless stated otherwise.

EL = Esslöffel	cs = cuiller à soupe	tbsp = table spoon
TL = Teelöffel	cc = cuiller à café	tsp = tea spoon
Msp = Messerspitze	pc = pointée de couteau	l = liter
l = Liter	l = litre	ml = milliliter
ml = Milliliter	g = gramme	
g = Gramm		

Gesetzt in den Schweizer Schriften «Helvetica» von
Max Miedinger, «Frutiger» von Adrian Frutiger (Umschlag)
und «Syntax» von Hans Eduard Meier (Inhalt)

Siebte Auflage 2009

Gestaltung Umschlag: Dora Eichenberger-Hirter, Birrwil
Gestaltung Inhalt: FonaGrafik
Einführung und Regionentexte: Yvonne Tempelmann, Zürich
Foodfotos: Jules Moser, Bern (12, 14, 16, 25, 26, 29, 35, 37, 42,
45, 46, 52, 56, 69, 70, 78, 79, 87, 89, 90,); Evelyn und
Hans Peter König, Zürich (19, 22, 39, 48, 55, 58, 61, 65, 66,
73, 77, 80, 84); Andreas Thumm, Freiburg i.Br. (32)
Touristische Bilder: Dietz Fotografen, Merlischachen, www.dietz.ch
Traduction française: Philippe Rebetez, Delémont
Translation in English: Joëlle Hofmann, Arlesheim
Lithos: Neue Schwitter AG, Allschwil
Printed in Germany

ISBN 978-3-03780-136-9